LOS FUNDAMENTOS DEL

FENG SHUI

LOS FUNDAMENTOS DEL
FENG SHUI

LILLIAN TOO

EDAF

MADRID - MÉXICO - BUENOS AIRES

Título original:

THE FUNDAMENTALS OF FENG SHUI

Traducción de:
ALEJANDRO PAREJA RODRÍGUEZ

Primera edición en Gran Bretaña en 1999 por
ELEMENT BOOKS LIMITED
Shaftesbury, Dorset SP7 8BP

Printed in Italy / Impreso en Italia

ISBN: 84-414-0667-7

Los editores desean agradecer a las siguientes personas y entidades su permiso para
reproducir ilustraciones:
Bridgeman Art Library, págs. 23, 199, 207, 212; Elizabeth Whiting Associates, págs. 18, 20,
78, 81, 120, 133, 179, 180, 196, 230, 231; Julia Hanson, págs. 17, 59, 157, 175, 190;
Image Bank, págs. 13, 39, 54, 56, 80-1, 159, 229, 233, 238; Rex, págs. 110, 198; Wolfgang
Kachler/Corbis, pág. 75; Zefa, págs. 13, 15, 19, 23, 47, 57, 59, 67, 97, 98, 99, 102, 119,
123, 128, 134, 156, 157, 158, 163, 164, 165, 184, 200, 221, 223.

Gracias en especial a:
Bright Ideas, Lewes, East Sussex, por su ayuda con los materiales para las ilustraciones.

La página web de Lillian Too es:
www.lillian-too.com

Febrero 2000

ÍNDICE

CÓMO USAR ESTE LIBRO

Este libro está pensado para ayudarte a comprender los principios del antiguo arte del feng shui, así como la cultura de la que procede y los modos en que puedes aplicar estos principios en tu vida.

La primera parte del libro cubre los fundamentos del feng shui: lo que significa, cómo funciona y por qué y de qué puede servirte. Aquí se explican los principios fundamentales, tales como el símbolo Pa Kua, los ocho trigramas y los cinco elementos. A continuación se lleva a la práctica la teoría en los capítulos siguientes del libro, que te enseñan el modo de interpretar y de aplicar el feng shui en los muchos aspectos de tu vida: la riqueza, el amor, la fama, la salud, los hijos, la formación, las relaciones y el trabajo.

Las tablas te permiten calcular tu propio perfil de feng shui.

Las presentaciones introductorias (abajo) exponen los fundamentos del arte apasionante del feng shui, de 4.000 años de antigüedad.

La esencia de la filosofía se ilustra con hermosas fotografías.

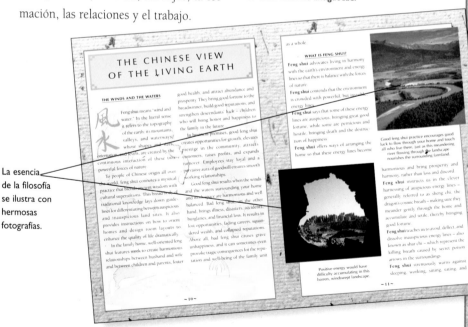

INDIVIDUAL ORIENTAT...

THE COMPASS FORMULA

Also known as the Pa Kua Lo Shu formula (Kua formula for short), this method of investigating personal prosperity orientations was given to the author's feng shui Master by old Taiwan feng shui Grand Master who was a legend in his time. As the personal consultant of many of Taiwan's richest men of the time, Master Chan Chuan Huay was an expert on wealth feng shui and was particularly well schooled in the science of water feng shui. He was also in possession of this Kua formula and used it with spectacular success for his clients, many of whom founded huge business conglomerates that are managed today by their heirs and descendants. It is no coincidence that the small island of Taiwan is so rich. Feng shui has always been widely practiced there.

THE THREE-LEGGED FROG

The three-legged frog with a coin in its mouth and surrounded by yet more coins signifies an abundance of...

THE CHINESE VIEW OF THE LIVING EARTH

THE WINDS AND THE WATERS

Feng shui means 'wind and water.' In the literal sense it refers to the topography of the earth, its mountains, valleys, and waterways, whose shapes and sizes, orientations and levels, are created by the continuous interaction of these two powerful forces of nature.

To people of Chinese origin all over the world, feng shui connotes a mystical practice that blends ancient wisdom with cultural superstitions. This broad field of traditional knowledge lays down guidelines for differentiating between auspicious and inauspicious land sites. It also provides instructions on how to orient homes and design room layouts to enhance the quality of life dramatically.

In the family home, well-oriented feng shui features work to create harmonious relationships between husband and wife and between children and parents, foster good health, and attract abundance and prosperity. They bring good fortune to the breadwinner, build good reputations, and strengthen descendants' luck – children who will bring honor and happiness to the family in the future.

In business premises, good feng shui creates opportunities for growth, elevates prestige in the community, attracts customers, raises profits, and expands turnover. Employees stay loyal and a pervasive aura of goodwill ensures smooth working relationships.

Good feng shui results when the winds and the waters surrounding your home and workplace are harmonious and well balanced. Bad feng shui, on the other hand, brings illness, disasters, accidents, burglaries, and financial loss. It results in lost opportunities, fading careers, squandered wealth, and collapsed reputations. Above all, bad feng shui causes grave unhappiness, and it can sometimes even provoke tragic consequences for the reputation and well-being of the family unit

as a whole.

WHAT IS FENG SHUI?

Feng shui advocates living in harmony with the earth's environment and energy lines so that there is balance with the forces of nature.

Feng shui contends that the environment is crowded with powerful, but invisible energy lines.

Feng shui says that some of these energy lines are auspicious, bringing great good fortune, while some are pernicious and hostile, bringing death and the destruction of happiness.

Feng shui offers ways of arranging the home so that these energy lines become harmonious and bring prosperity and harmony, rather than loss and discord.

Feng shui instructs us in the clever harnessing of auspicious energy lines – generally referred to as sheng chi, the dragon's cosmic breath – making sure they meander gently through the home and accumulate and settle, thereby bringing good fortune.

Feng shui teaches us to avoid, deflect, and dissolve inauspicious energy lines – also known as shar chi – which represent the killing breath caused by secret poison arrows in the surroundings.

Feng shui strenuously warns against sleeping, working, sitting, eating, and

Good feng shui practice encourages good luck to flow through your home and touch all who live there, just as this meandering river flowing through the landscape nourishes the surrounding farmland

Positive energy would have difficulty accumulating in this barren, windswept landscape.

~ 10 ~

~ 11 ~

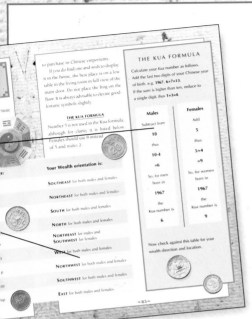

IZQUIERDA: La exposición de la fórmula Kua te permite calcular tu número Kua y aplicarlo de manera propicia en el aspecto correspondiente de tu vida, en este caso en la cuestión de la riqueza. Cuando hayas calculado tu propio número o el de otra persona, será indiferente en qué cuestión lo apliques.

Representaciones de los elementos

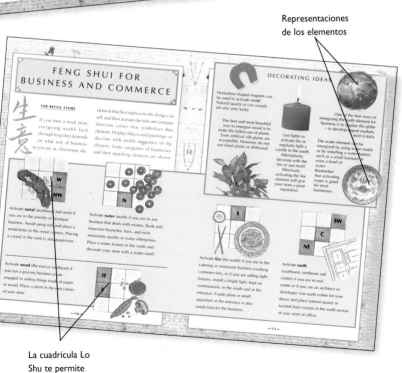

La cuadrícula Lo Shu te permite distribuir tu casa por zonas.

Los fundamentos
del feng shui

Los fundamentos

EL MODO CHINO
DE VER LA TIERRA VIVA

LOS VIENTOS Y LAS AGUAS

風水

Feng shui significa «viento y agua». El término, en su sentido literal, se refiere a la topografía de la Tierra: a sus montañas, a sus valles y a sus cursos de agua, cuyas formas, tamaños, orientaciones y niveles son creados por la interacción continuada de estas dos fuerzas poderosas de la naturaleza.

Para las gentes de origen chino de todo el mundo, el término feng shui indica una práctica mística en la que la sabiduría antigua se combina con una serie de supersticiones culturales. Este amplio *corpus* de conocimientos tradicionales sienta unas directrices que permiten diferenciar los lugares terrestres propicios de los no propicios. También aporta instrucciones sobre el modo de orientar las viviendas y de diseñar la distribución de las habitaciones para mejorar espectacularmente la calidad de vida.

En la vivienda familiar, los elementos que influyen sobre el feng shui, bien orientados, producen armonía en las relaciones entre marido y mujer y entre los hijos y los padres, fomentan la buena salud y atraen la prosperidad. Dan buena fortuna al que gana el pan de la familia; promueven la buena reputación y potencian la buena suerte de los descendientes, de unos hijos que aportarán honor y felicidad a la familia en el futuro.

En los locales de las empresas, el buen feng shui genera oportunidades de desarrollo, aumenta el prestigio entre la comunidad, atrae a los clientes, mejora los beneficios y potencia las ventas. Los trabajadores son fieles, y un ambiente general de buena voluntad garantiza la normalidad de las relaciones de trabajo.

El buen feng shui se produce cuando los vientos y las aguas que rodean tu vivienda y tu espacio de trabajo están en armonía y bien equilibrados. El mal feng shui, por su parte, acarrea enfermedades, desastres, accidentes, robos y pérdidas económicas. Sus consecuencias son las oportunidades desaprovechadas, las carreras profesionales truncadas, los bienes derrochados y las reputaciones perdidas. Por encima de todo, el mal feng shui ocasiona una grave infelicidad, y a veces puede llegar a tener, incluso, consecuencias trágicas para la reputación y el bienestar de la unidad familiar en su conjunto.

¿QUÉ ES EL FENG SHUI?

El **feng shui** propugna vivir en armonía con el entorno de la Tierra y con sus líneas de energía para que exista un equilibrio con las fuerzas de la naturaleza.

El **feng shui** afirma que el entorno está lleno de líneas de energía poderosas, aunque invisibles.

El **feng shui** dice que algunas de estas líneas de energía son propicias y producen muy buena fortuna, mientras que otras son perniciosas y hostiles y traen la muerte y la destrucción de la felicidad.

El **feng shui** propone modos de disponer la vivienda de tal forma que estas líneas de energía se vuelvan armoniosas y generen prosperidad y armonía, en lugar de pérdidas y discordias.

El **feng shui** nos enseña a aprovechar con

La práctica del buen feng shui hace que la buena suerte fluya a través de tu hogar y que toque a todos los que viven allí, del mismo modo que este río sinuoso corre por el terreno y da fertilidad a los campos que lo rodean.

A la energía positiva le resultaría difícil acumularse en este paisaje desolado y azotado por los vientos.

habilidad las líneas de energía propicias (a las que se suele llamar sheng chi, el aliento cósmico del dragón), procurando que serpenteen suavemente por la casa, que se acumulen y se asienten, atrayendo así la buena fortuna.

El **feng shui** nos enseña a evitar, a desviar y a disolver las líneas de energía no propicias (también llamadas shar chi), que representan el aliento mortífero provocado por las flechas envenenadas secretas que se encuentran ocultas en el entorno.

El **feng shui** nos recomienda vivamente que no durmamos, trabajemos, reposemos, comamos ni, en general, vivamos en lugares sobre los que inciden estas líneas perniciosas de energía hostil.

LOS PAISAJES DEL MUNDO

El feng shui es un componente apasionante de la antigua sabiduría china; es una ciencia que se remonta al menos a 4.000 años de antigüedad, a la época de los emperadores y de las leyendas míticas. El hecho de que haya sobrevivido con tanta brillantez al paso de los siglos da testimonio de su poderío. En los últimos años se ha producido un amplio resurgimiento del interés por su práctica, sobre todo en Occidente, donde el estudio del feng shui surgió como fenómeno de la Nueva Era, pero que ahora ha merecido la atención de la sociedad tradicional.

La popularidad creciente del feng shui es consecuencia de lo atractiva que resulta en general su sencilla lógica. Si bien sus muchas teorías y directrices se basan en la cosmología china, sus normas fundamentales son fáciles de comprender y tienen una aplicación general. Sus leyes y sus principios están relacionados con conceptos básicos y sencillos que propugnan vivir en armonía con el entorno, producir el equilibrio en el espacio vital y amoldarse a los paisajes naturales del mundo: los contornos de la superficie, el terreno de la Tierra, los ríos y las vías de agua del mundo, la luz del Sol y de la Luna, la vegetación, las orientaciones y los puntos cardinales; en resumen, a los vientos y las aguas de la Tierra viva que nos rodea.

LOS CUATRO ANIMALES CELESTES

El ave fénix carmesí, cuyas colinas representan las oportunidades.

El tigre blanco, cuyas colinas protegen.

El dragón verde, cuyas colinas aportan abundancia y prosperidad.

La tortuga negra, cuyas colinas proporcionan apoyo.

EL FENG SHUI CLÁSICO

Un principio fundamental del feng shui recomienda vivir dando la espalda a una montaña. Por lo tanto, si tu casa está respaldada por algo que sea sólido y firme, como puede ser una colina o un edificio que represente a la colina, tendrás apoyo durante toda tu vida. Así pues, la primera parte del feng shui clásico consiste en tener detrás la montaña.

Delante de tu casa debe haber espacio despejado, para que no esté obstaculizada la vista y para que tu horizonte sea visible. Si también se ve agua, eso aporta energía propicia a tu espacio vital. Además, si el río corre despacio y de manera sinuosa, la buena energía tiene más posibilidades para asentarse y acumularse antes de entrar en tu casa y de permitirte participar de su esencia. Huelga decir que cuanto

Esta casa, bien arropada entre unas colinas verdes y onduladas, disfruta del apoyo de las montañas del fondo y de la energía propicia del agua próxima.

más limpia, más fresca y más cantarina sea el agua, mayor será la buena fortuna que aportará. Por lo tanto, la segunda parte del feng shui clásico dice que se debe tener agua delante de la casa.

Los antiguos, con sus líricas imágenes, llamaron a la montaña que está detrás de la casa «las colinas de la tortuga negra», y al río que está delante, con su cerro a modo de taburete, «las colinas del ave fénix». A la izquierda, el feng shui introduce al importante dragón verde, que es una hilera de colinas suaves y onduladas, mientras que a la derecha están las colinas del tigre blanco, más bajas. El simbolismo de estos cuatro animales celestes describe la configuración clásica del paisaje según el feng shui. Si tu casa está arropada en el seno de estos cuatro animales, la tortuga negra te apoyará, el dragón verde te hará prosperar, el tigre blanco te protegerá y el ave fénix carmesí te acarreará oportunidades maravillosas.

La configuración óptima de feng shui. La casa tiene detrás las colinas de la tortuga negra, que dan apoyo; al frente, la colina del ave fénix carmesí, que da buena suerte; a la izquierda (mirando desde la casa), las colinas del dragón verde, que dan prosperidad; y a la derecha otras colinas menores, las del tigre blanco, que dan protección.

LOS FUNDAMENTOS
DEL FENG SHUI

LA ARMONÍA
DE LAS ENERGÍAS YIN Y YANG

El feng shui, entendido en su nivel más básico, es una cuestión de equilibrio; pero este equilibrio está relacionado con el carácter complementario de los principios opuestos, expresados en términos del yin y el yang. Según los chinos, todas las cosas del universo son o bien el yin femenino o el yang masculino, el yin oscuro o el yang luminoso.

El yin y el yang componen, juntos, la plenitud del universo, dentro del cual están el cielo y la tierra. El yin y el yang se infunden significado el uno al otro, pues el uno no puede existir sin el otro. Así pues, la luz del yang no puede existir sin el yin de la oscuridad; el calor del yang no puede existir de ningún modo sin el frío del yin, y viceversa.

Cuando el yin y el yang están equilibrados, se representa la plenitud del universo. Hay buen equilibrio y prosperidad, salud, bienestar y felicidad. La práctica del feng shui incluye siempre un análisis yin-yang del espacio de las habitaciones, de las configuraciones del terreno, de la luz solar y la sombra, de la humedad y la sequedad, de los colores vivos y apagados y de los sólidos y los líquidos. Las habitaciones que son demasiado yin no son propicias; les falta la energía vital necesaria para producir la prosperidad. Se dice que las habitaciones que son demasiado yang son dañinas porque tienen demasiada energía, que produce accidentes y pérdidas importantes. Solo las habitaciones (y las casas) que tienen equilibrado el yin y el yang pueden ser propicias, y serán más propicias todavía si existe un buen equilibrio de yin y yang en su exterior.

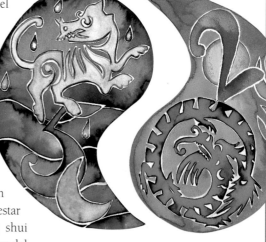

El antiguo símbolo chino del yin y el yang representa el delicado juego mutuo de los opuestos complementarios que sustenta la estructura de todo el universo.

~14~

Los cementerios, como otros lugares asociados a la muerte, están llenos de energía yin fuerte que se transmite a las casas y a los edificios próximos.

LAS CASAS QUE SON DEMASIADO YIN

Las casas y los edificios construidos demasiado cerca de cementerios, hospitales, cárceles, mataderos y comisarías de policía son demasiado yin, porque estos lugares están asociados a las energías yin de la muerte. Se dice, incluso, que los lugares de culto, como los templos, las iglesias y las mezquitas, emiten energías yin extremas debido a los ritos fúnebres que se celebran en ellos. Lo mismo suele afirmarse de los edificios que se levantan en terrenos donde antes hubo centros de este tipo. Por ello, puede ser interesante que investigues la historia de tu casa.

REMEDIOS

Es mejor evitar vivir en lugares yin de este tipo, pero si no puedes evitarlo, puedes tomar algunas medidas para remediarlo.

▨ Orienta tu puerta principal apartándola de la estructura o del edificio yin.

▨ No tengas ventanas que den a esas estructuras yin.

▨ Pinta tu puerta principal de color rojo vivo, símbolo de la energía yang fuerte y poderosa.

▨ Procura tener siempre bien iluminado el porche. Ten la luz encendida siempre.

▨ Haz pasar la luz del sol, yang, podando los árboles que den sombra.

▨ Planta árboles de vegetación exuberante y cultiva flores en el jardín.

▨ Rodea toda la casa de luces de jardín.

▨ Pinta la cerca de un color vivo y alegre.

▨ Procura que tu tejado sea rojo.

▨ Pon en el jardín objetos yang, tales como rocas, gravilla y piedras.

Las ventanas grandes y despejadas ayudan a disipar el exceso de energía yin que se puede acumular en las habitaciones pequeñas y abarrotadas.

LAS HABITACIONES QUE SON DEMASIADO YIN

L AS habitaciones que no ven nunca la luz solar, que son húmedas, que solo están decoradas con tonos grises y azules, que son estrechas y están abarrotadas, que siempre están cerradas y en silencio o que han sido ocupadas durante mucho tiempo por algún enfermo crónico tienen demasiada energía yin. Acarrean enfermedades y mala suerte a los moradores. Las personas que pasan tiempo en habitaciones con un exceso de energía yin padecen más desventuras de las necesarias, y parece que las rodea un manto de mala suerte.

CREAR ENERGÍA YANG

Intenta crear algo de energía yang haciendo lo siguiente.

▨ Pinta las paredes de un color yang vivo: rosados, amarillos, incluso rojo.

▨ Haz entrar la luz. Las paredes blancas son muy yang porque son luminosas.

▨ Elimina las cortinas y da entrada a la luz solar en la habitación.

▨ Pon cortinas de colores alegres.

▨ Usa colchas, sábanas y otros complementos de colores vivos.

▨ Ten abiertas las ventanas.

▨ Si los árboles cierran el paso a la luz del exterior, pódalos.

▨ Pon muchos puntos de luz y ten siempre encendido al menos uno.

▨ Ten encendida la radio o la televisión. El sonido, la luz y la risa hacen entrar la energía yang.

▨ Ten jarrones con flores recién cortadas.

▨ Introduce el movimiento con colgantes móviles y con carillones eólicos. Simbolizan la energía vital.

Los postes y los cables del tendido eléctrico pueden inundar las casas de un exceso de energía yang.

LAS CASAS
QUE SON DEMASIADO YANG

S E dice que los edificios que están expuestos constantemente a la luz solar fuerte o al calor de cualquier clase tienen un exceso de energía yang, hasta tal punto que esta provoca accidentes, desastres y desventuras graves. Si vives demasiado cerca de un tendido eléctrico, o si vives a la vista de altas chimeneas de fábricas o de refinerías que vomitan humos nocivos a lo largo del día, entonces tienes demasiada energía yang.

Es recomendable abandonar ese lugar; pero si no tienes otro remedio, entonces es necesario (vital, incluso) que combatas el exceso de energía yang introduciendo estructuras yin o que te rodees de los colores y de las características del yin. El agua es uno de los mejores remedios contra el exceso de energía yang; construir un pequeño estanque de agua en el jardín es un medio eficaz para contrarrestar la energía yang.

REMEDIOS

Remedios para el exceso de energía yang.

▨ Pinta la puerta principal de color azul de cualquier tono, pues es un color yin.

▨ Utiliza colores fríos y poco vivos en la decoración de tus interiores.

▨ Evita tener demasiado ruido en la casa.

▨ Evita tener demasiada luz en la casa, y no enciendas nunca una luz roja.

▨ Introduce elementos acuáticos, como las fuentes en miniatura.

▨ Pon en tu casa cuadros que representen lagos y ríos.

▨ Ten un buen césped en tu jardín.

▨ Pinta de negro las barandillas y las puertas, pues también el negro es un color yin.

LAS HABITACIONES
QUE SON DEMASIADO YANG

Si haces sonar música fuerte durante todo el día y tu habitación contiene elementos rojos vivos y las paredes están pintadas de rojo o de amarillo vivo, entonces las energías son demasiado yang. Hay demasiado ruido y demasiada energía, por lo cual harías bien en introducir algunos elementos yin para contrarrestar este desequilibrio. Guarda algunos periodos de silencio a lo largo del día. Cambia las cortinas por otras de un color yin más oscuro o pon incluso una luz azul.

Esta decoración a base de blancos y negros produce una armonía de los opuestos.

Del mismo modo, si tu habitación recibe el sol directo y caluroso de la tarde, entonces la habitación es demasiado yang. Contrarréstalo poniendo cortinas más gruesas que cierren el paso al resplandor del sol. O bien, cuelga un cristal de roca de muchas caras que transforme la luz solar hostil en los colores brillantes del arco iris, haciendo entrar la energía yang amistosa en lugar de matar la energía yang. Observarás que conseguir equilibrar en tu casa el yin y el yang es una empresa muy sutil.

En esencia, la habitación debe contener elementos yin y yang, pero nunca debe tener demasiado del uno ni del otro. Ten música y vida en la habitación, pero no constantemente. Ten tranquilidad y silencio en la habitación, pero no hasta el punto de que esta esté muerta. Ten una decoración fría a base de tonos azules y grises, pero introduce también una pincelada de color yang, que puede estar representado por un jarrón con rosas rojas o por un cuadro que muestre un amanecer.

Las decoraciones a base del color blanco y el negro simbolizan la armonía del yin y el yang, pero también deben existir sonidos y vida. Una decoración sin más colores que el blanco y el negro y con silencio constante se considera demasiado yin, del mismo modo que si hay excesivo ruido se considera demasiado yang.

Recuerda que el feng shui es una combinación sutil de energías opuestas que se complementan mutuamente. A lo que debes aspirar siempre es a la armonía de los opuestos. Este es el principio rector fundamental del yin y el yang.

EL SÍMBOLO OCTOGONAL DEL PA KUA

Este es, probablemente, el símbolo más importante del feng shui. Los ocho lados representan muchas cosas en la práctica del feng shui, y se cree también que el Pa Kua representa por sí mismo energías protectoras. Los chinos de todo el mundo cuelgan el Pa Kua ante la entrada de su casa, por encima de la puerta principal, para protegerse de cualquier energía mortífera que pueda estar recayendo sobre ellos sin que lo adviertan. Esta energía suele ser provocada por objetos o estructuras hostiles que representan flechas envenenadas (ver páginas 40-47).

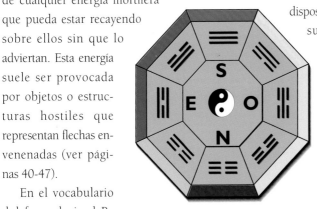

En el vocabulario del feng shui, el Pa Kua utilizado como símbolo protector es el Pa Kua de la Disposición del Cielo Anterior. Este Pa Kua tiene dispuestos los trigramas en sus ocho lados de una manera diferente de la disposición del Pa Kua de la Disposición del Cielo Posterior (ver ilustraciones). El Pa Kua del Cielo Anterior se utiliza también en la práctica del feng shui yin, el feng shui que estudia la disposición de las tumbas de los antepasados. Los chinos creen que el feng shui de las tumbas de los antepasados afecta enormemente a la suerte de sus descendientes.

Para la práctica del feng shui yang (el feng shui de las residencias de los vivos, que es el que nos interesa a la mayoría de nosotros), el símbolo más significativo es el Pa Kua del Cielo Posterior. La disposición de los trigramas en sus ocho lados da un significado a cada uno de los ocho puntos principales de la brújula que aparecen representados en el Pa Kua, con el sur siempre en la parte superior. Permite interpretar correctamente el significado y las relaciones mutuas de los demás símbolos del feng shui.

Estos otros símbolos están asociados a los números (del uno al nueve), a los cinco elementos (agua, fuego, tierra, madera y metal), a los animales celestes (tortuga, dragón, tigre y ave fénix) y a las características propias de cada uno de los ocho trigramas.

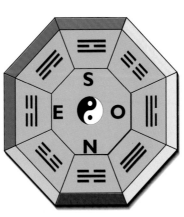

El Pa Kua de la Disposición del Cielo Anterior (arriba) y el de la Disposición del Cielo Posterior (abajo).

LOS OCHO TRIGRAMAS QUE RODEAN AL PA KUA

Chien es, probablemente, el más poderoso de los ocho trigramas. Este símbolo de tres líneas continuas representa el cielo, el patriarca, el jefe y el padre. En el Pa Kua de la Disposición del Cielo Posterior, este trigrama aparece al noroeste. En consecuencia, se dice que el noroeste representa al patriarca o a la persona de la que dimana todo el poder. Se dice que en las viviendas yang, en las casas de los vivos, el poder de la familia procede del noroeste, y por ello esta es la situación del cabeza de familia. Este trigrama es yang.

Kun es el arquetipo de lo maternal o de la madre Tierra. Es el símbolo de la sumisión, representada por tres líneas yin truncadas. Por tanto, es completamente yin. En el Pa Kua se sitúa en el sudoeste y representa a todas las cosas femeninas: lo doméstico, la docilidad y los instintos maternales. La mejor situación para la matriarca de la familia es el sudoeste, para que sus cualidades más nobles florezcan y para que traiga buena suerte a la familia.

Chen, dos líneas yin truncadas sobre una línea yang entera, es el trigrama que se sitúa al este en la disposición del Pa Kua. Representa la estación de la primavera, la cualidad del desarrollo, y encarna el espíritu del primer descendiente varón. En los palacios de los emperadores chinos, en la Ciudad Prohibida de Pekín, los herederos masculinos del trono residían en la parte oriental del complejo del palacio. Esta es también la parte donde debe residir el hijo mayor de la familia en cualquier hogar.

Sun, dos líneas yang enteras por encima de una línea yin truncada, es el trigrama que encarna el espíritu de la hija mayor. Situado al sudeste, representa también el elemento de la madera y la virtud de la delicadeza. El viento que trae prosperidad está situado también al sudeste.

Ken simboliza la quietud, la montaña. Este trigrama, representado por dos líneas yin truncadas, inmediatamente por debajo de la superficie de la línea yang entera, denota también un lugar de preparación. También simboliza el lugar que ocupa el hijo menor. Su orientación es el nordeste.

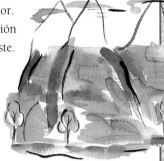

Kan también anuncia peligro. Este trigrama, situado al norte, tiene una única línea yang rodeada de dos líneas yin truncadas que simbolizan el calor del yang encerrado en el frío del yin. Así pues, kan significa el invierno y simboliza el agua en cuyo interior hay cosas ocultas. Kan representa al segundo hijo de la familia.

Li está situado al sur, frente a Kan. En él, dos líneas yang enteras encierran entre sí a la línea yin truncada, símbolo del triunfo del yang sobre el yin. El elemento de este trigrama es el fuego, y su estación es el verano. Li simboliza la luminosidad y la belleza del verano. Es un trigrama lleno de esperanza, y simboliza a la segunda hija.

Tui es el símbolo de la alegría, representada por dos líneas yang enteras que están a punto de irrumpir a través de la línea yin solitaria de la parte superior. La estación es el otoño, la orientación es el oeste y representa el lago. El miembro de la familia representado es la hija menor, que aporta mucha alegría y regocijo.

EL CONCEPTO DEL CHI

EL concepto abstracto del chi afecta a todas las manifestaciones tradicionales chinas. El chi no tiene forma ni figura y es invisible, pero a través de él se manifiestan todas las cosas que hay en la Tierra y que pueden afectar al bienestar de las personas. La descomposición física es la desintegración del chi, y la muerte gradual es la ausencia total de chi.

Las prácticas tradicionales chinas, tanto el feng shui como la acupuntura o el chi kung, se centran todas ellas en proteger y en nutrir el chi, tanto externa como internamente. El chi kung enseña a nutrir el chi interior por medio de ejercicios internos, con lo que se consigue aumentar la salud y la longevidad. Del mismo modo, la protección del chi dentro de la casa conducirá a la armonía, a la prosperidad y a la longevidad.

Estas ideas se basan en la creencia de que todas las cosas del universo, tanto las vivas como las inanimadas, tienen chi. Se cree que toda habitación, toda casa, todo edificio, todos los espacios naturales y artificiales, en suma, contienen una energía que tiene su forma propia y singular de chi. En los entornos externos, las cualidades del chi están afectadas por la naturaleza del terreno (las montañas, las colinas y los ríos), mientras que, dentro de la casa, las cualidades del chi varían en virtud de la orientación, de los elementos que contiene cada habitación,

así como de la disposición relativa de estos. Por tanto, para evaluar el feng shui externo resulta importante analizar el paisaje, mientras que para el feng shui de los interiores resulta importante estudiar la orientación de la casa y la disposición de los muebles.

La situación de las entradas, las salidas, las puertas y las ventanas afecta a las cualidades del chi: de ellas dependerá que sea vibrante, fresco y cargado de energía, o que esté rancio y fatigado, que sea hostil y dañino. Las puertas, sobre todo las puertas principales, resultan especialmente cruciales en la práctica del feng shui.

Los rincones y el centro de cualquier habitación producen variaciones sutiles del tipo de chi que está presente. En esto se refleja la influencia de los cinco elementos, que es una teoría del pensamiento abstracto chino. Todas las cosas que hay en la Tierra se asocian a los cinco elementos: desde los puntos cardinales y las orientaciones hasta los diversos órganos internos del cuerpo; desde las estaciones del año hasta las cadenas montañosas. Así pues, habrá chi del fuego, chi del agua, chi de la tierra, chi del metal y chi de la madera. Estos tipos de chi afectan a diversos aspectos de la condición humana, y su activación sutil representa una de las dimensiones más interesantes de la práctica del feng shui.

AJUSTAR EL CHI HUMANO AL CHI DEL ENTORNO

Cuando conozcas la orientación afortunada personal de tu familia y hayas distribuido la planta de tu casa según el cuadrado Lo Shu, podrás aplicar varios métodos para ajustar tus energías chi personales con las de tu entorno. Podrás activar tus orientaciones y atraer sheng chi propicio para el bien de toda tu familia, sobre todo si tú eres quien gana el sustento de la misma.

Tu número Kua, que calcularás a partir de la tabla de la página 41, te indica tu orientación más propicia para asegurarte de que no te faltará fortuna en cuanto a tus hijos y a tus descendientes. Te indica también la orientación más propicia para que sitúes la puerta principal de tu casa y tu dormitorio con el fin de captar el sheng chi suave y armonioso.

EL DORMITORIO PRINCIPAL Y LA ORIENTACIÓN AL DORMIR

La mejor manera de adquirir buena fortuna para la familia es, probablemente, intentar situar las puertas más importantes de acuerdo con las orientaciones nien yen de las personas de tu familia que utilizan las habitaciones, sobre todo de los dormitorios. Si tú eres el que gana el sustento de tu familia, tendrás que dormir con la cabeza hacia tu orientación nien yen. Esto supone situar el dormitorio principal en el sector nien yen.

Esta bella y delicada escultura, que simboliza el amor paterno y el cariño mutuo entre los padres y los hijos, mejoraría la fortuna de los descendientes de cualquier hogar.

LOS CINCO ELEMENTOS

Uno de los conceptos esenciales de la práctica del feng shui es la teoría de los cinco elementos y de sus ciclos productivos y destructivos. Todas las ciencias astrológicas chinas, la acupuntura, los ejercicios físicos tales como el chi kung y la medicina china, basan sus diagnósticos y sus prácticas curativas en una comprensión de esta teoría. La comprensión de la naturaleza y de los ciclos de los elementos potencia enormemente la práctica del feng shui. Esto se debe a que, según la visión china, todas las cosas del universo pertenecen a uno u otro de los elementos. Así como cada orientación tiene un elemento que la rige, se considera que cada rincón de la casa o de cada habitación pertenece a uno de estos elementos. Los cinco elementos son la madera, el fuego, el agua, el metal y la tierra.

La práctica del feng shui tiene en cuenta las relaciones mutuas entre los elementos, procurando que los elementos de los objetos, de las orientaciones y de las situaciones de cualquier habitación no se destruyan mutuamente. Por lo tanto, siempre que se estudie un diagnóstico o una medida curativa de feng shui es preciso tener en cuenta las relaciones mutuas entre los elementos.

LOS ELEMENTOS

LA MADERA se representa por el color verde en todos sus tonos. Su estación es la primavera. La madera grande está al este, mientras que la madera pequeña está al sudeste. Son símbolos del elemento madera las plantas, el papel, los muebles y todas las cosas que están hechas de madera. En la numerología, la madera se representa por los números tres y cuatro. El horóscopo chino indica que el tigre y el conejo son animales de madera.

EL AGUA es azul o negra. Su estación es el invierno y su orientación es el norte. Es un elemento yin y su número es el uno. Entre los objetos que representan a la madera se cuentan las peceras y las fuentes. Pertenecen a este elemento la rata y el cerdo.

EL FUEGO es rojo, que es un color yang que se considera muy propicio. Su estación es el verano y su punto cardinal es el sur. Son símbolos de este elemento las luces brillantes. Su número es el nueve. Son animales de fuego la serpiente y el caballo.

CICLOS PRODUCTIVOS Y DESTRUCTIVOS

CICLO PRODUCTIVO

Cada elemento crea el elemento siguiente del ciclo

AGUA · MADERA · FUEGO · TIERRA · METAL

CICLO DESTRUCTIVO

Cada elemento destruye el elemento siguiente del ciclo

METAL · MADERA · TIERRA · AGUA · FUEGO

En el ciclo productivo de los elementos, el fuego produce tierra, que a su vez crea el metal. Este produce el agua; el agua produce la madera, y la madera produce el fuego.

En el ciclo destructivo de los elementos, la madera devora la tierra, que a su vez destruye el agua. El agua extingue el fuego; el fuego consume el metal, y el metal derriba la madera.

Prueba a seguir el ciclo destructivo de los elementos de la ilustración superior de la derecha sobre el ciclo productivo de arriba a la izquierda. Empieza por la madera, en la parte superior; de ahí ve a la tierra, en la inferior, sube hasta el agua, cruza hasta el fuego, baja hasta el metal y vuelve a subir hasta la madera. Descubrirás que has trazado sobre el ciclo productivo una estrella de cinco puntas semejante al símbolo del pentáculo de muchas prácticas religiosas y espirituales antiguas.

LA TIERRA se representa por el color marrón en todos sus tonos. Es el elemento del centro y representa el tercer mes de cada una de las estaciones. Sus orientaciones son el sudoeste (tierra grande) y el nordeste (tierra pequeña). Sus números son el dos, el cinco y el ocho, y sus animales del horóscopo son el buey, el dragón, la oveja y el perro.

EL METAL se representa por los colores metálicos, dorado o plateado, y también por el blanco. Su estación es el otoño, y sus orientaciones son el oeste (metal pequeño) y el noroeste (metal grande). Son objetos propios de este elemento los carillones eólicos, las campanas, las monedas y las joyas. Sus números son el seis y el siete. Los animales de metal del horóscopo chino son el gallo y el mono.

EL CUADRADO LO SHU
Y LA MAGIA DE LOS NÚMEROS

El cuadrado Lo Shu es otro símbolo importante que se emplea ampliamente en el análisis del feng shui, sobre todo en la aplicación de las diversas fórmulas relacionadas con la brújula.

Esta tabla de nueve recuadros contiene una disposición singular de los números del uno al nueve. Se considera que esa disposición es mágica porque la suma de tres números en cualquier sentido (en horizontal, en vertical o en diagonal) siempre vale quince, el número de días que tarda la luna nueva en convertirse en luna llena. Por ello, el cuadrado Lo Shu tiene un significado especial en la dimensión temporal del feng shui y complementa la dimensión espacial de la práctica general del feng shui.

La tabla de nueve recuadros se corresponde con los ocho lados del símbolo Pa Kua alrededor de un noveno punto central. Del mismo modo que en el Pa Kua, la dirección del sur se coloca en la parte superior, de modo que el número nueve se corresponde con el sur. Así, la disposición de los números está asociada a los ocho trigramas del símbolo Pa Kua cuando este está configurado según la Disposición del Cielo Posterior.

La práctica del feng shui basa muchas de sus recomendaciones en la

EL CUADRADO MÁGICO

Si se suman er cualquier sent los números q aparecen en e cuadrado Lo S el resultado siempre es quince.

interpretación de las relaciones entre los números del cuadrado Lo Shu y los símbolos del Pa Kua. Estos símbolos ejercen, por lo tanto, una influencia poderosa y casi mítica sobre todos los aspectos del simbolismo cultural chino, y sus diversos atributos componen una buena parte de la base de la práctica actual del feng shui. Esto se debe a que los practicantes veteranos del feng shui de Taiwan, Hong Kong, Singapur, Malasia y otros países han descubierto que estos símbolos no pierden potencia cuando se aplican correctamente a la orientación y a la arquitectura de los edificios, los pueblos y las ciudades modernas.

El cuadrado Lo Shu de números mágicos sobre el dorso de la tortuga, uno de los cuatro animales celestes.

Existen notables semejanzas entre la secuencia de los números en el cuadrado Lo Shu y otros símbolos de otras culturas, sobre todo el símbolo hebreo que representa al planeta Saturno.

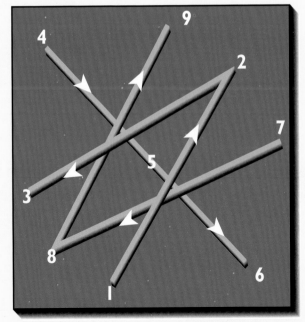

LOS INSTRUMENTOS DE LA PRÁCTICA DEL FENG SHUI

DESMITIFICACIÓN DE LA BRÚJULA LUO PAN

La brújula que se utiliza en el feng shui se llama Luo Pan. En su centro está la brújula propiamente dicha, que, a semejanza de la brújula occidental, tiene una aguja que señala al norte magnético. No obstante, a diferencia de lo que se acostumbra en Occidente, los practicantes chinos del feng shui toman como punto de referencia el sur.

En los antiguos textos sobre el tema aparece el sur en la parte superior de los diagramas, y los símbolos del feng shui también tienen el sur en la parte superior. En la práctica, no obstante, el sur de los chinos es exactamente el mismo punto cardinal que el sur de los occidentales. Del mismo modo, el norte de los chinos es exactamente el mismo norte magnético que se emplea en Occidente. Por ello, no es imprescindible utilizar una brújula Luo Pan china de feng shui. Cualquier brújula occidental de calidad resulta perfectamente adecuada. Del mismo modo, tampoco es necesario hacer ninguna transposición de las orientaciones. Ya vivas en el hemisferio norte o en el sur, ya vivas en Oriente o en Occidente, todas las orientaciones que citaremos son las mismas que indicará una brújula corriente moderna.

El Luo Pan es un instrumento de referencia que utilizan los maestros del feng shui, y los veteranos practicantes de esta ciencia suelen tener sus propias versiones del Luo Pan, con resúmenes de sus anotaciones y de sus interpretaciones personales. Estas notas se guardan celosamente como secretos profesionales y se inscriben en clave en círculos concéntricos alrededor de la brújula. Cuanto mayores son los círculos, más profundos son sus

Cualquier brújula occidental puede servir en lugar de la brújula Luo Pan.

Los primeros anillos de la brújula Luo Pan muestran las relaciones entre los diversos símbolos que se emplean en la práctica del feng shui.

significados, que se refieren a fórmulas más avanzadas. Al practicante aficionado le basta con comprender los primeros anillos interiores de la brújula y sus significados, tal como los ilustramos aquí para facilitar su consulta.

Al estudiar la brújula de feng shui, ten en cuenta que en el feng shui avanzado se utilizan fórmulas secretas con las que se examinan las orientaciones de las puertas, el flujo del agua y la orientación de las casas. En estas fórmulas, cada una de las ocho orientaciones tiene tres subdivisiones, por lo cual se ofrecen recomendaciones para un total de 24 orientaciones diferentes posibles. La práctica del feng shui por medio de fórmulas requiere medir con mucho cuidado y precisión.

EL CALENDARIO CHINO

Un aspecto importante de la práctica del feng shui hace uso de la fecha de nacimiento de la persona y de su año rector para determinar la adecuación de las orientaciones de las puertas y la orientación que debe seguir para dormir y para trabajar. Utiliza este calendario para traducir las fechas de nacimiento occidentales a las fechas equivalentes del calendario chino, que servirán para un análisis posterior de los números Kua. Toma nota del elemento de tu año de nacimiento, pues te permitirá saber qué elementos serán propicios para ti.

Año	Desde	Hasta	Elemento	Año	Desde	Hasta	Elemento
1900	31 ene. 1900	18 feb. 1901	Metal	1923	16 feb. 1923	4 feb. 1924	Agua
1901	19 feb. 1901	17 feb. 1902	Metal	1924	5 feb. 1924	24 ene. 1925	Madera
1902	8 feb. 1902	28 ene. 1903	Agua	1925	25 ene. 1925	12 feb. 1926	Madera
1903	29 ene. 1903	15 ene. 1904	Agua	1926	13 feb. 1926	1 feb. 1927	Fuego
1904	16 feb. 1904	3 feb. 1905	Madera	1927	2 feb. 1927	22 ene. 1928	Fuego
1905	4 feb. 1905	24 ene. 1906	Madera	1928	23 ene. 1928	9 feb. 1929	Tierra
1906	25 ene. 1906	12 feb. 1907	Fuego	1929	10 feb. 1929	29 ene. 1930	Tierra
1907	13 feb. 1907	1 feb. 1908	Fuego	1930	30 ene. 1930	16 feb. 1931	Metal
1908	2 feb. 1908	21 ene. 1909	Tierra	1931	17 feb. 1931	15 feb. 1932	Metal
1909	22 ene. 1909	9 feb. 1910	Tierra	1932	6 feb. 1932	25 ene. 1933	Agua
1910	10 feb. 1910	29 ene. 1911	Metal	1933	26 ene. 1933	13 feb. 1934	Agua
1911	30 ene. 1911	17 feb. 1912	Metal	1934	14 feb. 1934	3 feb. 1935	Madera
1912	18 feb. 1912	25 feb. 1913	Agua	1935	4 feb. 1935	23 ene. 1936	Madera
1913	6 feb. 1913	25 ene. 1914	Agua	1936	24 ene. 1936	10 feb. 1937	Fuego
1914	26 ene. 1914	13 feb. 1915	Madera	1937	11 feb. 1937	30 ene. 1938	Fuego
1915	14 feb. 1915	2 feb. 1916	Madera	1938	31 ene. 1938	18 feb. 1939	Tierra
1916	3 feb. 1916	22 ene. 1917	Fuego	1939	19 feb. 1939	7 feb. 1940	Tierra
1917	23 ene. 1917	10 feb. 1918	Fuego	1940	8 feb. 1940	26 ene. 1941	Metal
1918	11 feb. 1918	31 ene. 1919	Tierra	1941	27 ene. 1941	14 feb. 1942	Metal
1919	1 feb. 1919	19 feb. 1920	Tierra	1942	15 feb. 1942	24 feb. 1943	Agua
1920	20 feb. 1920	7 feb. 1921	Metal	1943	5 feb. 1943	24 ene. 1944	Agua
1921	8 feb. 1921	27 ene. 1922	Metal	1944	25 ene. 1944	12 feb. 1945	Madera
1922	28 ene. 1922	15 feb. 1923	Agua	1945	13 feb. 1945	1 feb. 1946	Madera

Año	Desde	Hasta	Elemento	Año	Desde	Hasta	Elemento
1946	2 feb. 1946	21 ene. 1947	Fuego	1977	18 feb. 1977	6 feb. 1978	Fuego
1947	22 ene. 1947	9 feb. 1948	Fuego	1978	7 feb. 1978	27 ene. 1979	Tierra
1948	10 feb. 1948	28 ene. 1949	Tierra	1979	28 ene. 1979	15 feb. 1980	Tierra
1949	29 ene. 1949	16 feb. 1950	Tierra	1980	16 feb. 1980	4 feb. 1981	Metal
1950	17 feb. 1950	5 feb. 1951	Metal	1981	5 feb. 1981	24 ene. 1982	Metal
1951	6 feb. 1951	26 ene. 1952	Metal	1982	25 ene. 1982	12 feb. 1983	Agua
1952	27 ene. 1952	13 feb. 1953	Agua	1983	13 feb. 1983	1 feb. 1984	Agua
1953	14 feb. 1953	2 feb. 1954	Agua	1984	2 feb. 1984	19 feb. 1985	Madera
1954	3 feb. 1954	23 ene. 1955	Madera	1985	20 feb. 1985	8 feb. 1986	Madera
1955	24 ene. 1955	11 feb. 1956	Madera	1986	9 feb. 1986	28 ene. 1987	Fuego
1956	12 feb. 1956	30 ene. 1957	Fuego	1987	29 ene. 1987	16 feb. 1988	Fuego
1957	31 ene. 1957	17 feb. 1958	Fuego	1988	17 feb. 1988	5 feb. 1989	Tierra
1958	18 feb. 1958	7 feb. 1959	Tierra	1989	6 feb. 1989	26 ene. 1990	Tierra
1959	8 feb. 1959	27 ene. 1960	Tierra	1990	27 ene. 1990	14 feb. 1991	Metal
1960	28 ene. 1960	14 feb. 1961	Metal	1991	15 feb. 1991	3 feb. 1992	Metal
1961	15 feb. 1961	4 feb. 1962	Metal	1992	4 feb. 1992	22 ene. 1993	Agua
1962	5 feb. 1962	24 ene. 1963	Agua	1993	23 ene. 1993	9 feb. 1994	Agua
1963	25 ene. 1963	12 feb. 1964	Agua	1994	10 feb. 1994	30 ene. 1995	Madera
1964	13 feb. 1964	1 feb. 1965	Madera	1995	31 ene. 1995	18 feb. 1996	Madera
1965	2 feb. 1965	20 ene. 1966	Madera	1996	19 feb. 1996	7 feb. 1997	Fuego
1966	21 ene. 1966	8 feb. 1967	Fuego	1997	8 feb. 1997	27 ene. 1998	Fuego
1967	9 feb. 1967	29 ene. 1968	Fuego	1998	28 ene. 1998	15 feb. 1999	Tierra
1968	30 ene. 1968	16 feb. 1969	Tierra	1999	16 feb. 1999	4 feb. 2000	Tierra
1969	17 feb. 1969	5 feb. 1970	Tierra	2000	5 feb. 2000	23 ene. 2001	Metal
1970	6 feb. 1970	26 ene. 1971	Metal	2001	24 ene. 2001	11 feb. 2002	Metal
1971	27 ene. 1971	15 feb. 1972	Metal	2002	12 feb. 2002	31 ene. 2003	Agua
1972	16 feb. 1972	22 feb. 1973	Agua	2003	1 feb. 2003	21 ene. 2004	Agua
1973	3 feb. 1973	22 ene. 1974	Agua	2004	22 ene. 2004	8 feb. 2005	Madera
1974	23 ene. 1974	10 feb. 1975	Madera	2005	9 feb. 2005	28 ene. 2006	Madera
1975	11 feb. 1975	30 ene. 1976	Madera	2006	29 ene. 2006	17 feb. 2007	Fuego
1976	31 ene. 1976	17 feb. 1977	Fuego	2007	18 feb. 2007	6 feb. 2008	Fuego

C H A I

Y I

K W A N

P U N

0 mm

50

100

150

200

250

300

350

400

LA REGLA DE FENG SHUI

Existen dimensiones propicias y no propicias, y la mayoría de los carpinteros chinos tienen un instrumento llamado regla de feng shui que les permite comprobar fácilmente si las mesas, los armarios, las ventanas y las puertas que construyen tienen unas dimensiones aceptables.

La escala métrica del feng shui tiene ocho ciclos de dimensiones, cuatro de las cuales son propicias y cuatro no propicias. Cada ciclo

DIMENSIONES PROPICIAS

CHAI: Este es el primer segmento del ciclo, y se subdivide en cuatro categorías de buena suerte, cada una de los cuales mide aproximadamente media pulgada, unos 13 milímetros. La primera trae buena suerte en cuestiones relacionadas con el dinero; la segunda trae una caja fuerte llena de joyas; la tercera trae seis clases diferentes de buena suerte a la vez, y la cuarta trae abundancia. (Chai: 0-2 pulgadas, 0-54 mm.)

YI: Este es el cuarto segmento del ciclo. Trae suerte relacionada con consejeros; es decir, atrae a tu vida a personas que te ayudan. La primera de sus subdivisiones significa suerte con los niños; la segunda predice unos ingresos adicionales inesperados; la tercera predice que un hijo tendrá mucho éxito, y la cuarta

ofrece buena fortuna. (Yi: 6⅜–8½ pulgadas, 162-215 mm.)

KWAN: Este tercer conjunto de dimensiones propicias trae suerte relacionada con el poder, y también tiene cuatro subdivisiones. La primera significa facilidad para aprobar los exámenes; la segunda predice suerte especial o especulativa; la tercera ofrece mejora de ingresos y la cuarta atrae grandes honores sobre la familia. (Kwan: 8½–10⅝ pulgadas, 215-270 mm.)

PUN: Este cuarto conjunto de dimensiones propicias se divide, como los demás, en cuatro secciones. La primera hace entrar mucho dinero; la segunda trae buena suerte en los exámenes; la tercera presagia muchas joyas, y la cuarta ofrece prosperidad abundante. (Pun: 14¾-17 pulgadas, 375-432 mm.)

mide 17 pulgadas, es decir, 432 mm, y cada ciclo está dividido en ocho secciones. Este ciclo de dimensiones afortunadas y desafortunadas se repite de manera continuada. Cuando te hayas familiarizado con el empleo de la regla de feng shui, podrás aplicarla a casi todo lo que se puede medir para determinar las dimensiones propicias. Además de los muebles, las puertas y las ventanas, también puedes emplearla en tus tarjetas de visita, tus sobres, tus cuadernos o tus blocs de notas.

50

P I

100

L I

DIMENSIONES NO PROPICIAS

PI: Esta categoría de mala suerte está relacionada con la enfermedad. También tiene cuatro subdivisiones, cada una de las cuales mide aproximadamente media pulgada, unos 13 milímetros. La primera tiene el significado de que el dinero se retira; la segunda indica problemas legales; la tercera significa mala suerte (incluso ir a la cárcel), y la cuarta indica la muerte de un cónyuge. (Pi: 2⅛–4¼ pulgadas, 54-108 mm.)

LI: Esta categoría significa separación, y también se divide en cuatro secciones. La primera significa mala suerte acumulada; la segunda presagia pérdida de dinero; la tercera indica que te encontrarás con personas sin escrúpulos, y la cuarta presagia que serás víctima de un hurto o de un robo. (Li: 4¼–6⅜ pulgadas, 108-162 mm.)

CHIEH: Esta categoría, dentro de las dimensiones negativas, anuncia pérdidas, y se divide en cuatro secciones. La primera anuncia la muerte o algún tipo de despedida; la segunda, que todo lo que necesitas desaparecerá y que podrías perder tu medio de vida; la tercera indica que te echarán de tu pueblo, deshonrado, y la cuarta indica una pérdida de dinero muy importante. (Chieh: 10⅝–12¾ pulgadas, 270-324 mm.)

HAI: Este cuarto conjunto de dimensiones no propicias indica una grave mala suerte, empezando por los desastres, que llegan en su primer sector, la muerte en el segundo, la enfermedad y la mala salud en el tercero y el escándalo y las disputas en el cuarto. (Hai: 12¾–14¾ pulgadas, 324-375 mm.)

150

200

250

C H I E H

300

350

H A I

400

LA ESCUELA DE LAS FORMAS EN EL FENG SHUI

LA CONFIGURACIÓN DEL PAISAJE

風水

La escuela de las formas se centra en las configuraciones del paisaje, en la presencia de montañas y colinas, de cursos de agua y de lagos, en las características del terreno y del viento, así como en las formas y tamaños de las estructuras próximas. Para practicar el feng shui del paisaje es preciso comprender el simbolismo de los animales, pues las diversas elevaciones se describen como colinas de dragón o de tigre, o como montañas de tortuga o taburetes de ave fénix. Las elevaciones también se describen en términos de los cinco elementos (madera, fuego, agua, metal y tierra). Las buenas configuraciones de feng shui, según las descripciones clásicas, tienen a la espalda la montaña, situada al norte a ser posible; el ave fénix al frente, situado al sur a ser posible, y el dragón y el tigre rodeando al lugar como los brazos de un sillón.

Si tu casa está rodeada de colinas de esta manera, tu familia será rica durante varias generaciones. El dragón te aporta prosperidad; el tigre te protege; la tortuga te asegura la longevidad, y el ave fénix te trae grandes oportunidades. Si, además, discurre un río plenamente visible desde tu puerta principal, y si corre de izquierda a derecha, tendrás garantizado un éxito enorme en todo lo que emprendas.

PUEBLOS Y CIUDADES

En los análisis hechos en los pueblos y ciudades, los edificios desempeñan el papel de las colinas y las montañas, y las carreteras el de los ríos. Procura siempre lo siguiente:

▨ Que tu puerta principal no esté bloqueada por un edificio grande o alto.

▨ Que la parte trasera de tu edificio esté protegida por una estructura más alta o más grande o colinas a lo lejos.

▨ Que los edificios o el terreno elevado a la izquierda de tu puerta principal (mirando desde la casa) estén más altos que la tierra a la derecha. El tigre nunca debe ser más alto; de lo contrario, se vuelve malévolo. Si lo es, instala un punto de luz brillante y alto a la izquierda de tu puerta principal.

LAS DOS ESCUELAS

En la práctica del feng shui existen dos escuelas. La escuela de las formas estudia visualmente el feng shui, diagnosticando el equilibrio en términos de las formas y configuraciones del terreno. La escuela de la brújula (ver páginas 40-41) adopta una visión más precisa de la orientación y de las direcciones, y emplea ampliamente la brújula. Las dos escuelas son igualmente importantes, y deben aplicarse ambos métodos para sacar el mejor partido posible del feng shui.

Esta casa está situada donde las colinas a su derecha, las colinas del tigre blanco, están más altas que las colinas a su izquierda, las colinas del dragón verde. Cuando el tigre está más alto que el dragón se vuelve malévolo en vez de protector. No obstante, sus influencias negativas se pueden desviar instalando un punto de luz muy luminoso en un punto elevado a la izquierda de la puerta principal.

DRAGONES VERDES, TIGRES BLANCOS Y EL ALIENTO CÓSMICO

EL feng shui clásico habla del dragón verde y del tigre blanco, que son dos de los cuatro animales celestes que se utilizan en el simbolismo de los paisajes para ayudar a los practicantes del feng shui a encontrar lugares terrestres que auguren buena suerte. Los dragones no se encuentran nunca en las zonas donde la tierra es completamente llana o donde sólo hay montañas de bordes agudos; y donde no está el dragón faltará también el tigre. Se dice que estos lugares son muy poco propicios.

Los dragones y los tigres se encuentran donde la tierra es ligeramente ondulada, donde la vegetación parece sana y exuberante, donde las brisas son suaves, el terreno parece fértil y hay equilibrio entre la luz del sol y la sombra. Estos lugares son muy propicios, pero es difícil identificarlos. Una formación de colinas, por sí misma, no suele proporcionar indicaciones suficientes, y suelen coexistir diversos tipos de terrenos elevados próximos entre sí, con lo que la búsqueda se dificulta todavía más. Existen, no obstante, diversos indicios útiles que puedes buscar.

- Busca rincones recogidos donde la vegetación parezca especialmente verde.
- Siente la brisa y olfatea el aire. Si el viento es suave y el aire huele bien, el dragón vive cerca.
- Busca lugares donde haya luz solar y también sombra.
- Los dragones no viven en la cumbre de las colinas, donde hay poca protección. Evita esos lugares.
- Los dragones no se encuentran donde hay por encima riscos y peñascos amenazadores.
- Evita el terreno rocoso y duro.
- Los lugares húmedos y que huelen a cerrados no albergan a los dragones.

El dragón siempre está acompañado del tigre. Identifícalos observando las curvas de las cadenas de colinas. Se considera que el punto donde se reúnen dos cadenas, como en un abrazo, es un lugar muy especial. Se dice que allí es donde el dragón y el tigre emiten más cantidad de aliento cósmico, el sheng chi, que produce la mejor de las fortunas.

CARGAR DE ENERGÍA LOS ANIMALES CELESTES

Las directrices del simbolismo del dragón y el tigre en el feng shui del paisaje se pueden simular muy bien dentro de la vivienda. Pon un cuadro o una cerámica de un dragón ante la pared este de tu cuarto de estar para cargar de energía al dragón propicio. Que la entrada principal dé acceso a un pequeño zaguán, para que cuando entre el chi pueda asentarse en lugar de marcharse aprisa. Pon tortugas (galápagos de verdad en un acuario, o cerámicas que representen tortugas) en el rincón norte de tu cuarto de estar o detrás de tu mesa de trabajo como símbolo del fuerte apoyo de esta criatura celeste. Pon un cuadro con un ave fénix roja y brillante en el rincón sur, para tener oportunidades.

La imagen de un dragón en la pared este de una habitación atrae la energía propicia asociada a este animal celeste.

La premisa principal del feng shui es captar el chi propicio del dragón. Las diferentes partes del dragón emiten cantidades diferentes de chi, y el feng shui procura localizar lugares del paisaje donde el chi se acumule en abundancia. Son las zonas que representan el corazón y el vientre del dragón. Las zonas periféricas de su cuerpo, como la cola, son áreas de chi estancado. Por ello, una casa construida en el borde de un terreno elevado, o sobre un terreno bajo y completamente llano, padecerá circunstancias de inestabilidad. Donde el chi está cansado no hay estabilidad.

Los lugares donde los vientos altos dispersan el aliento cósmico o donde los ríos de corriente rápida se lo llevan no tienen posibilidades para el feng shui. No se puede acumular la buena suerte, pues el chi se evapora antes de poder asentarse. Un lugar sólo es propicio cuando se acumula el flujo de chi.

Busca los lugares siguientes:

- Lugares donde hay ríos lentos y sinuosos.
- Lugares rodeados de agua.
- Lugares protegidos de los vientos fuertes.
- Lugares rodeados de colinas sin aristas demasiado agudas.

LAS COLINAS Y LOS CURSOS DE AGUA

Las colinas o montes y los cursos de agua también están relacionados con los elementos. Sus formas y sus configuraciones, el modo en que se levantan las colinas y el modo en que fluyen las aguas indican cuál es su elemento intrínseco. Por ello, hay colinas de agua y aguas de fuego. En función del elemento rector de tu año natal, puedes determinar el grado de tu afinidad personal con las formas terrestres naturales y con las aguas que rodean tu casa.

TIPOS DE COLINAS

Las **colinas de fuego** tienen forma cónica, se levantan rectas y vigorosas y terminan en una punta viva y aguda. Las personas del elemento de metal no deben vivir cerca de las colinas de este tipo, pero estas serían beneficiosas para las personas nacidas en un año de tierra. No obstante, una colina de este tipo justo delante de la puerta principal sería desastrosa para cualquiera.

Las **colinas de madera** son redondeadas. Se levantan rectas, tienen el cuerpo alargado y tienen la cumbre redondeada. A los que han nacido en años de fuego les resulta especialmente adecuado vivir cerca de colinas de este tipo, pero las personas de los años de tierra deben evitarlos. Estas colinas son propicias cuando están detrás de la casa.

Las **colinas de tierra** son cuadradas y parecen mesetas, con la cumbre plana. Son excelentes para los que han nacido en años de metal, pero no resultan adecuadas para aquellos cuyo elemento es el agua.

Las **colinas de agua** son escarpadas y dan la impresión de tener varias cumbres, de modo que su aspecto es el de una cadena montañosa continuada. Las personas de un año de fuego no deben vivir cerca de ellas, pero a las personas del elemento madera les beneficiará la afinidad de energías si viven cerca de una cadena montañosa de este tipo.

Las **colinas de metal** son oblongas y suavemente redondeadas; tienen la base ancha y laderas poco escarpadas. Son adecuadas para los que han nacido en años de agua, y son poco propicias para los que han nacido en años de madera.

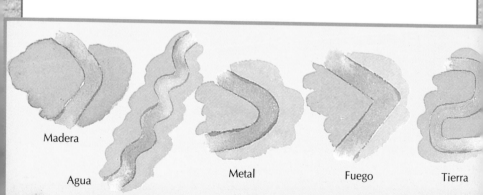

Madera

Agua

Metal

Fuego

Tierra

FORMAS POCO PROPICIAS

Las formas triangulares, incompletas o irregulares atraen la mala fortuna. También son desafortunados los terrenos y las casas en forma de L o de U. Las formas que dan la impresión de que les faltan trozos o que les sobresale algo también se consideran desequilibradas y acarrean desventuras de diversos tipos, en función de qué partes les falten o les sobresalgan.

La falta de un rincón se puede corregir muchas veces instalando en las paredes espejos que amplían visualmente el rincón. Alternativamente, puedes instalar en el rincón que falta una luz alta y brillante que servirá para ampliarlo simbólicamente.

Las esquinas que sobresalen dan la impresión de ser ampliaciones de la forma básica, con la consecuencia de que parece que faltan otras esquinas. Dado que cada esquina de la casa representa un tipo de buena fortuna, estas extensiones pueden ser propicias o no propicias, en función de si están localizadas o no en la orientación que corresponde a tu persona.

LAS FORMAS

He aquí una selección de formas poco propicias.

Siempre se prefieren las formas regulares a las irregulares. Por lo tanto, a efectos del feng shui, las formas perfectamente cuadradas o rectangulares siempre se consideran más afortunadas que las irregulares. Esto se aplica a los terrenos, a las viviendas, a los edificios no residenciales, a las habitaciones, a las ventanas, a las puertas y a las mesas. Las formas regulares son simétricas y equilibradas: no les falta nada.

A efectos del feng shui más avanzado, que ofrece sugerencias maravillosas para cargar de energía las diversas esquinas de una habitación o de una casa, solo se pueden obtener los máximos beneficios cuando se trabaja con habitaciones de forma regular.

Además, a la hora de hacer un análisis adicional de feng shui, resulta más sencillo superponer el Pa Kua y el cuadrado Lo Shu sobre el plano de la habitación cuando esta es regular.

EL FLUJO DEL AGUA

Los ángulos que forma el agua en su flujo también se describen en términos de los cinco elementos. Si vives cerca de un curso de agua o si discurren conducciones de agua cerca de tu casa, comprueba si sus ángulos son adecuados para el elemento de tu año personal, así como para el elemento representado por el ángulo del agua. Por ejemplo, los ángulos al norte deberían ser, idealmente, de los elementos agua o metal; del elemento fuego o madera los que están al sur, y así sucesivamente.

LA ESCUELA DE LA BRÚJULA EN EL FENG SHUI

EL EMPLEO DE LAS FÓRMULAS

En el feng shui por medio de la brújula se aplican unas fórmulas muy precisas que determinan modos concretos de investigar el carácter propicio o no propicio de las orientaciones de las puertas y de las entradas, de la disposición de los muebles y de la orientación con que se duerme.

Existen fórmulas que permiten calcular orientaciones individuales propicias o no propicias sobre la base de los números Kua personales, y existen otras fórmulas para calcular cuáles son los sectores afortunados y desafortunados de los edificios, mes a mes y año a año. Las fórmulas tienen en cuenta tanto las dimensiones espaciales como las temporales del feng shui. Distinguen los grupos orientales y occidentales de personas y de edificios y ofrecen métodos para equilibrar las energías personales con las del entorno. Existen también fórmulas que estudian tipos determinados de suerte, sobre todo la suerte relacionada con la riqueza; estas fórmulas se basan en la disposición correcta del agua y en la dirección de su flujo alrededor del área donde se reside.

El feng shui de la brújula y las fórmulas es un poco más difícil de aprender que el feng shui de la escuela de las formas. No obstante, es menos subjetivo, lo que facilita su práctica.

ORIENTACIONES PROPICIAS Y NO PROPICIAS

LA FÓRMULA DE LOS NÚMEROS KUA

Este es un método poderoso y potente para descubrir orientaciones propicias y no propicias para cada persona sobre la base de las fechas de nacimiento. Calcula tu número Kua de la manera siguiente:

Consulta el calendario chino (ver páginas 30-31) para asegurarte de que estás usando tu año de nacimiento chino.

Hombres

- Toma tu año de nacimiento.
- Suma las dos últimas cifras.
- Si el resultado vale más de diez, suma las dos cifras para reducirlas a un solo número.
- Resta al número **10** ese número.
- **El resultado es tu número Kua.**

Ejemplo año de nacimiento, 1936.

$$3 + 6 = 9$$
$$10 - 9 = 1$$

El Kua es **1**.

Mujeres

- Toma tu año de nacimiento.
- Suma las dos últimas cifras.
- Si el resultado vale más de diez, suma las dos cifras para reducirlas a un solo número.
- Suma **5** a ese número.
- El resultado es tu número Kua.

*Ejemplo año de nacimiento, **1945**.*

$$4 + 5 = 9$$
$$9 + 5 = 14$$
$$1 + 4 = 5$$

El Kua es **5**.

Los números Kua son la clave para descubrir tus orientaciones propicias y no propicias. Los números Kua uno, tres, cuatro y nueve tienen como orientaciones propicias el este, el sudeste, el norte y el sur. El orden de preferencia de cada una de estas orientaciones y el tipo concreto de buena suerte que activan cada una para ti son aspectos más detallados de esta fórmula, y varían para cada uno de los números Kua. Basta con que sepas que si tienes uno de estos números Kua eres una persona del grupo oriental. Las orientaciones no propicias para ti son, por lo tanto, las otras cuatro, las orientaciones del grupo occidental.

Los números Kua dos, seis, siete y ocho tienen como orientaciones propicias el oeste, el sudoeste, el noroeste y el nordeste. El orden de preferencia de cada una de estas orientaciones también varía para cada uno de los números Kua, pero son orientaciones del grupo occidental. Tus orientaciones no propicias son, por tanto, las otras cuatro, las del grupo oriental. En este sistema no hay número Kua 5. Los hombres que tienen el número Kua 5 deben usar el número 2, y las mujeres que tienen el número Kua 5 deben usar el número 8.

Orientaciones propicias	Orientaciones no propicias
Fu Wei = FW	Ho Hai = HH
Tien Yi = TY	Wu Kwei = WK
Nien Yen = NY	Chueh Ming = CM
Sheng Chi = SC	Lui Sha = LS

Al aplicar las fórmulas del feng shui es fundamental trabajar con gran precisión al hacer las mediciones y al comprobar las orientaciones con la brújula. Observa los elementos que se representan en cada una de las orientaciones.

APLICACIÓN DE LA FÓRMULA KUA

L A casa deberá distribuirse en nueve sectores de acuerdo con la cuadrícula Lo Shu, tal como se indica en la ilustración. Para hacerlo con precisión, utiliza una buena cinta métrica e intenta delimitar las zonas con toda la exactitud que puedas.

A continuación, busca los puntos cardinales e identifica las ocho esquinas en función de su orientación. Ten en cuenta que si bien en los libros tradicionales de feng shui el sur suele representarse en la parte superior, según la costumbre china, los puntos cardinales a que se refieren los libros son exactamente los mismos que se utilizan en Occidente. Así, el norte chino es exactamente el mismo norte que indica cualquier brújula al estilo occidental. Por lo tanto, puedes utilizar cualquier brújula occidental. Colócate con ella en el centro de tu casa e identifica las ocho situaciones periféricas dividiendo la planta de tu casa en una cuadrícula de ocho cuadrados iguales. Dibuja sobre un papel la planta de tu casa, pues esto te resultará útil para distribuir las habitaciones y los muebles.

METAL GRANDE

Noroeste

METAL PEQUEÑO

Oeste

TIERRA GRANDE

Sudoeste

Mientras identificas los sectores, ten presente los elementos correspondientes de cada rumbo de la brújula. Deberás hacerlo así porque la aplicación de la teoría de los cinco elementos es constante en todas las escuelas del feng shui y es preciso recordarla con independencia del método o de la fórmula que se esté aplicando. Indicamos aquí, para facilitar la consulta, los elementos que corresponden a cada uno de los sectores. Esta disposición de elementos está basada en la Disposición del Cielo Anterior de los trigramas, que es la que se aplica siempre para los vivos. El elemento del centro es la tierra.

Ten en cuenta que las habitaciones no siempre coincidirán exactamente con los sectores de la cuadrícula Lo Shu. La mayoría de las habitaciones abarcarán dos sectores, o incluso tres. Es entonces cuando adquiere una gran importancia la ubicación exacta dentro de la habitación de los muebles más importantes, tales como las mesas de despacho y las camas.

AGUA

Norte

TIERRA

Nordeste

MADERA GRANDE

Este

FUEGO

Sur

MADERA PEQUEÑA

Sudeste

APLICACIÓN DE TU NÚMERO KUA

Sigue las indicaciones siguientes para determinar las orientaciones propicias sirviéndote de los números Kua.

▓ Orienta tu puerta principal hacia una de tus orientaciones propicias.

▓ Trabaja en una mesa de trabajo o escritorio mirando hacia una de tus orientaciones propicias.

▓ Duerme con la cabeza hacia una de tus orientaciones propicias.

▓ Come, haz negocios, pronuncia conferencias, emprende tus actividades principales, en una palabra, dando el frente a una de tus orientaciones adecuadas.

▓ Evita tener que hacer cualquiera de estas cosas mirando hacia alguna de tus orientaciones no propicias.

EJEMPLO

4

Si tu número Kua es el **cuatro,** es que eres una persona del grupo oriental, y tus orientaciones propicias son el este, el sudeste, el norte y el sur. Estas son las orientaciones hacia las que debes dar el frente para practicar tus actividades principales y más importantes, tal como se indica en la ilustración contigua.

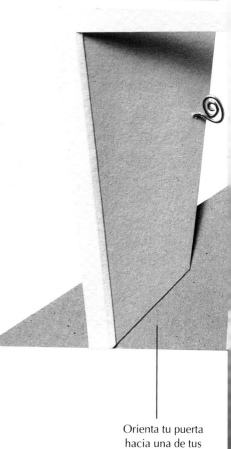

Orienta tu puerta hacia una de tus orientaciones mejores.

Calcula siempre la orientación a la que tienes que dar frente colocándote en el centro de la habitación y mirando hacia fuera.

Al sentarte en una sala de juntas o en la mesa del comedor de tu casa, elige un puesto que te permita mirar hacia una de tus orientaciones propicias.

Duerme con la cabeza hacia una de tus orientaciones mejores.

LAS CASAS DE FORMA IRREGULAR

L as casas, los pisos y las oficinas rara vez tienen forma regular, cuadrada o rectangular, por lo cual resulta difícil superponer su planta sobre una cuadrícula de nueve sectores. Es más grave todavía el problema de las esquinas que faltan. Existen modos de superar este problema. En esta página indicamos algunos problemas comunes y sus posibles soluciones.

Coloca una luz en el sector que falta.

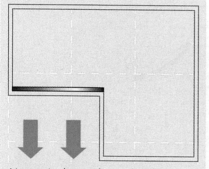

Un espejo de pared contribuye a aliviar el problema de las habitaciones de forma irregular.

▨ Instalar una luz.

▨ Poner un espejo en la pared.

▨ Construir una ampliación.

La medida que tomes dependerá de tus circunstancias y de si dispones del espacio necesario.

Con una distribución irregular, a veces resulta difícil situar u orientar la puerta de la manera más propicia. Si no

Se ilustran ejemplos de casas de planta irregular. Según el feng shui, la falta de esquinas significará que a la casa le faltarán determinados aspectos afortunados. El tipo de fortuna que faltará dependerá de la orientación concreta del sector que falta.

Si falta un sector que representa tu orientación del éxito, podrás corregir parcialmente el problema con uno de los tres métodos que se muestran en esta página.

Construye una ampliación para corregir la falta de una esquina.

puedes situar tu puerta principal en ese lugar, a veces suele bastar con que esté dirigida en la orientación del éxito. Si no puedes colocar tu puerta principal ni en la situación ni en la orientación deseada, intenta por lo menos que esté situada en una de tus cuatro orientaciones propicias. Recuerda que las orientaciones se toman desde el interior de la casa, mirando hacia fuera.

LAS ORIENTACIONES DE LOS GRUPOS DEL ESTE Y DEL OESTE

Según la escuela de la brújula del feng shui, las personas se dividen en dos grupos: del este y del oeste. Tus demás orientaciones propicias dependerán de si eres una persona del grupo del este o del oeste. Esto depende de tu número Kua.

Las personas del grupo del este son aquellas cuyos números Kua son el uno, el tres, el cuatro y el nueve. Las orientaciones del grupo del este son el este, el norte, el sur y el sudeste. Las personas del grupo del oeste son aquellas cuyos números Kua son el dos, el cinco, el seis, el siete y el ocho. Las orientaciones del grupo del oeste son el oeste, el sudoeste, el noroeste y el nordeste.

Las orientaciones del grupo del este son dañinas para las personas del grupo del oeste, y viceversa. Procura a toda costa que la entrada principal de tu casa esté dirigida hacia una de las orientaciones propicias de tu grupo.

ASIGNACIÓN DE LAS HABITACIONES EN FUNCIÓN DE LOS TRIGRAMAS

PARA obtener el máximo partido del feng shui, asigna las habitaciones a los miembros de tu familia inspirándote en los trigramas que rodean el Pa Kua de la Disposición del Cielo Posterior. Esta disposición es la adecuada para las viviendas yang (las casas de los vivos), a diferencia de las viviendas yin (las casas de los muertos).

En las páginas 42-43 se describe el método por el que se superpone la cuadrícula Lo Shu de nueve sectores sobre el plano de la vivienda, que se divide así a su vez en nueve sectores; acto seguido se comprueban las orientaciones con una brújula.

LAS HABITACIONES PARA LA FAMILIA

SEGÚN el Pa Kua de la Disposición del Cielo Posterior, las ocho orientaciones de cualquier espacio vital que se corresponden con las ocho orientaciones de la brújula son las siguientes:

- El noroeste, para el padre.
- El sudoeste, para la madre.
- El este, para el hijo mayor o único.
- El sudoeste, para la hija mayor o única.
- El norte, para el hijo mediano.
- El sur, para la hija mediana.
- El nordeste, para el hijo menor.
- El oeste, para la hija menor.

LAS HABITACIONES PARA LOS PADRES

EL padre y la madre, y sobre todo el padre, se pueden alojar al noroeste, pues el trigrama que corresponde a esta orientación es el Chien, que representa al padre. Los practicantes del feng shui pueden optar por situar el dormitorio principal según este método, o pueden aplicar la fórmula de la brújula, que ofrece orientaciones óptimas personales en función de la fecha de nacimiento (ver la página 41). El método que se aplica suele depender de la casa en sí, pues no siempre existe una libertad absoluta de elección, debido a las limitaciones que imponen las formas y el espacio.

Al sudoeste le corresponde el trigrama Kun, que representa a la matriarca. Esta orientación sería adecuada para situar en ella el cuarto de estar familiar, pues el espíritu materno femenino cuida del bienestar de toda la familia.

LAS HABITACIONES PARA LOS HIJOS

IDEALMENTE, los hijos de la familia deberán dormir en la habitación que corresponde al este de la casa. Si hay más de un hijo, otras habitaciones adecuadas para ellos son las que están al norte y al nordeste. No obstante, el este es el lugar mejor para todos los hijos de la familia, pues su trigrama es el Chen, que significa crecimiento con éxito.

Las hijas de la familia también se pueden alojar ventajosamente al sudeste, al sur o al oeste. La hija favorita (que suele ser la menor) suele ser la que duerme al oeste, pues el trigrama de esta orientación es el Tui, que significa «gozoso» y que también es símbolo de las mujeres jóvenes.

La asignación de las habitaciones en función de los trigramas de la Disposición del Cielo Posterior aportará a la familia un feng shui beneficioso.

El padre, al noroeste.

Los hijos, al nordeste o al este.

La madre, al sudoeste.

La hija, al sudeste.

LA FÓRMULA DE LAS OCHO ASPIRACIONES VITALES

ESTA fórmula se basa en interpretaciones de los ocho trigramas que están dispuestos alrededor del Pa Kua del Cielo Posterior, y es una de las teorías más fáciles de aplicar del feng shui de la brújula. Cada lado del Pa Kua corresponde a una orientación determinada, y se considera que representa un tipo concreto de suerte o fortuna. Se distinguen ocho tipos de suerte, y se dice que estos representan en su conjunto el total de las aspiraciones de la humanidad. Cuando profundices en el estudio del feng shui, descubrirás que el concepto chino de la buena suerte se expresa siempre en términos de estas ocho aspiraciones concretas.

- ▨ El logro de la riqueza y de la prosperidad.
- ▨ El logro de un matrimonio feliz.
- ▨ Conseguir el respeto de los demás, el honor y la buena fama.
- ▨ La longevidad y la buena salud.
- ▨ Tener buenos descendientes, es decir, hijos; más concretamente, varones.
- ▨ Tener estudios y conocimientos.
- ▨ La ayuda y el apoyo de la gente influyente.
- ▨ Avanzar en la carrera profesional.

Estas aspiraciones se pueden cargar de energía de varias maneras determinadas diferentes, en las que se combina el empleo de otros métodos y fórmulas de feng shui. No obstante, como introducción al método, resulta

Sun
Sudeste

Riquezas y prosperidad.

Chen
Este

Relaciones familiares y salud

Ken
Nordeste

Estudios.

útil estudiar el Pa Kua ilustrado de estas páginas, que proporciona la fórmula básica.

 Li
Sur

Fama y honores.

 Kun
Sureste

Perspectivas de matrimonio
y felicidad conyugal.

 **Tui**
Oeste

Suerte de los hijos.

 **Kan**
Norte

Perspectivas
de carrera
profesional.

 Chien
Noroeste

Presencia de personas útiles o consejeros.

LAS FLECHAS ENVENENADAS Y EL ALIENTO MORTÍFERO

EL ALIENTO MORTÍFERO

El mal feng shui es consecuencia, casi siempre, de lo que llamamos «el aliento mortífero», el shar chi, y todas las escuelas de feng shui previenen constantemente contra los embates del shar chi de las flechas envenenadas secretas que se encuentran en el entorno y que traen esta energía mortal y perniciosa. Estas flechas suelen consistir en líneas rectas, en ángulos agudos o en cualquier cosa que tenga dicha forma. Cuando apuntan directamente a tu casa, sobre todo a tu puerta principal, el resultado es una gran mala suerte, pérdidas y mala salud. En algunos casos, las flechas envenenadas pueden producir incluso la muerte de los desventurados habitantes de la casa.

Cuando se practica el feng shui, es recomendable empezar por adoptar una postura defensiva para protegerse del aliento mortífero. Solo después se puede empezar a prestar atención a aprovechar el flujo del chi favorable. Recuerda que aunque tengas la mejor configuración posible del dragón y del tigre, y aunque todas tus orientaciones sean propicias, una sola flecha mortífera puede echarlo todo a perder.

Las líneas rectas de esta hilera de chopos pueden actuar, en determinadas situaciones, como flechas envenenadas que dirigen hacia tu casa el aliento mortífero.

OTROS EJEMPLOS

El borde recto de un edificio   Un árbol se

LAS FLECHAS ENVENENADAS

Las flechas envenenadas que provocan el shar chi pueden ser cualquier estructura hostil, amenazadora o imponente cuyas energías abruman a las energías de tu casa. También pueden consistir en unos riscos rectos, en el vértice de un tejado, en el borde de un edificio o en una carretera o río recto.

EL CRUCE EN FORMA DE T

Si la puerta principal de tu casa da frente a un cruce de carreteras en forma de T, tal como se muestra en la ilustración, puedes protegerte del aliento mortífero de varios modos.

- ▓ Reorienta o cambia de sitio tu puerta principal para que se desvíe la mala energía.
- ▓ Planta una hilera de árboles con buen follaje para «bloquear» la carretera que se dirige hacia la casa.
- ▓ Construye un muro que oculte a la vista la carretera nociva.
- ▓ Cuelga un Pa Kua con espejo por encima del centro de la puerta, para protegerte del shar chi e impedir que entre en tu casa.

CHAS ENVENENADAS

Una torre de cualquier clase

Un espejo desviará de tu casa el shar chi.

BUSCAR LAS FLECHAS

Si no prestas una atención deliberada a tu entorno, es fácil que se te pasen por alto estructuras hostiles que bien podrían estarte enviando energías dañinas. Hace falta práctica para encontrar las flechas envenenadas. Recuerda que cualquier cosa afilada, puntiaguda, angulosa u hostil tiene la posibilidad de dañarte si se dirige hacia tu puerta.

▨ Una de las causas comunes del shar chi es la forma triangular de las líneas del tejado de la casa de un vecino. Si tienes ante ti una estructura así, intenta cambiar la orientación de tu puerta.

▨ Cuando se vive cerca de cables o de postes eléctricos, suelen acumularse energías negativas. Apártalos de tu vista plantando un grupo de árboles entre tu casa y ellos.

▨ Dar frente directamente a una iglesia, a cualquier clase de torre en punta o a una cruz muy grande es poco propicio. Desvía las vibraciones negativas con un espejo Pa Kua.

Otros ejemplos de estructuras que pueden emanar aliento venenoso o mortífero hacia tu casa son los letreros y las señales indicativas en punta, los molinos de viento, los montes y colinas con bordes agudos, los edificios altos, los cañones y los troncos de árboles. Recuerda que desde el punto de vista del feng shui solo son dañinos si se dirigen o dan frente directamente a la puerta principal de tu casa.

▨ Los pasos elevados de carretera que parecen cuchillas que amenazan la parte delantera de tu casa también provocan desequilibrio. No vivas en una casa así, o cuelga un carillón eólico grande entre el paso elevado y tu puerta.

Determinados elementos de tu entorno, como las montañas de bordes agudos (derecha) pueden producirte problemas si sus energías dañinas apuntan directamente a tu puerta principal.

LOS OBJETOS PUEDEN DEVOLVER LAS FLECHAS ENVENENADAS

Al resolver las flechas envenenadas, intenta combinar el elemento del objeto utilizado como remedio con la orientación en la que está el problema. He aquí seis objetos que se pueden utilizar para desviar las flechas envenenadas.

LOS CARILLONES EÓLICOS

S UELEN ser excelentes para contrarrestar los malos efectos de las partes que sobresalen de los techos y de las vigas de la estructura de la casa. Los carillones eólicos de metal resultan especialmente efectivos cuando se instalan en los rincones que dan al norte y al noroeste de las habitaciones.

LAS PLANTAS

S ON excelentes para protegerse del shar chi y para disolverlo, sobre todo cuando se ponen en los rincones. Como simbolizan también el crecimiento, su feng shui es perfecto cuando se ponen en los rincones que dan al este de las habitaciones.

LOS BIOMBOS

S ON muy populares entre los chinos, pues sirven para bloquear la energía que se mueve demasiado aprisa. Al frenar el aliento pernicioso, los biombos transforman la energía dañina en energía propicia.

LAS CORTINAS

SON muy eficaces cuando se utilizan para bloquear las malas vistas de estructuras amenazadoras que producen shar chi. Pon cortinas de tela gruesa o de zaraza. Son eficaces en cualquier lado de la casa, pero debes elegir sus colores en función de los elementos de cada punto cardinal. Utiliza cortinas rojas al sur, azul oscuro al norte, verde al este y blancas al oeste.

LOS ESPEJOS

SON unas poderosas herramientas de feng shui, pues su reflectividad tiene el efecto de volver a enviar el shar chi hacia su punto de partida. Los espejos también sirven para agrandar los rincones estrechos y abarrotados y para ampliar las paredes compensando la falta de un rincón. Pero deben usarse con cuidado. No deben reflejar la puerta principal, ni tampoco deben reflejar los retretes. Los espejos son propicios en los comedores, pero no deben reflejar la cama del dormitorio principal.

LAS LUCES

SON unos antídotos poderosos para todo tipo de problemas de feng shui. Resultan especialmente buenas cuando se utilizan para disolver el shar chi de los bordes agudos y de las esquinas que sobresalen, sobre todo cuando se colocan en los rincones que dan al sur de las habitaciones, a excepción de las luces angulares como la de la ilustración, que no son beneficiosas.

RESOLUCION DE LAS FLECHAS
DENTRO DE LA CASA

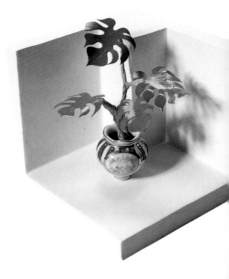

TAMBIÉN es necesario protegerse de las flechas envenenadas que surgen dentro de la casa. Suele producirse shar chi cuando hay bordes rectos formados por los muebles, las esquinas que sobresalen, pilares cuadrados aislados y vigas vistas en lo alto. La agresión de los bordes agudos de estas estructuras provoca jaquecas y otras enfermedades, y, en casos graves, puede acarrear también mala suerte en forma de pérdidas económicas y profesionales inesperadas.

Colocando cristales de roca en el borde de las esquinas que sobresalen se desvía el shar chi.

Disuelve el shar chi de los pilares cuadrados aislados recubriéndolos de espejos que los hacen desaparecer en la práctica.

Bloquea el borde afilado de una esquina que sobresale con una planta grande, tal como se muestra en la ilustración.

Resuelve las vigas vistas en lo alto colgando dos flautas, atadas con hilo rojo y dispuestas en diagonal.

O bien, cuelga un carillón eólico para suavizar el shar chi que sale de una viga.

Las estanterías abiertas tienen mal feng shui. Son como cuchillas que cortan a los habitantes de la casa. Siempre es preferible que tengan puertas.

CONSEJOS DE FENG SHUI PARA INTERIORES

DISTRIBUCION DE LAS HABITACIONES DE LAS VIVIENDAS

EL buen feng shui empieza por la puerta principal, que debe tener ante sí, por la parte exterior, un espacio vacío, llamado «el salón brillante», donde pueda asentarse y acumularse el chi cósmico antes de entrar en tu casa. Por otra parte, debe dar acceso a un espacio interior que no esté demasiado abarrotado. Eso permite que el chi se recoja antes de distribuirse por tu casa.

LIMITACIONES PARA LA PUERTA PRINCIPAL

- La puerta principal no debe dar acceso nunca a un zaguán abarrotado. Si el espacio es demasiado estrecho, pon una luz fuerte.
- La puerta principal no debe dar nunca directamente a una escalera. Pon un biombo en medio o haz que el tramo inferior de la escalera siga una curva.
- No debe haber un retrete demasiado cerca de la puerta principal. De lo contrario, el chi que entrase en la casa se pudriría.

Los apartamentos bien iluminados y limpios atraen las energías propicias. Los rincones pequeños, oscuros y que no se utilizan producen aliento mortífero; por ello, debes ventilar de vez en cuando los cuartos traseros. Que no haya demasiadas puertas que den a un pasillo largo: eso provoca disputas. No debe haber más de tres ventanas por cada puerta. Las puertas no deben estar situadas directamente ante una ventana, pues el chi entraría y volvería a salirse.

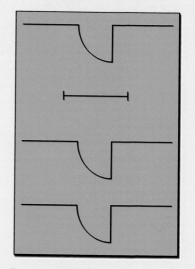

TRES PUERTAS

Tres puertas en línea recta producen un feng shui mortal. El chi se mueve demasiado aprisa. Cuelga un carillón eólico o coloca un biombo de separación ante la puerta central.

Los baños y los retretes no deben estar situados en la esquina norte de la casa, pues harían que se fueran por el desagüe las oportunidades profesionales y de ascenso del que gana el pan de la familia.

Lo ideal es que las escaleras sean curvadas y no rectas. Las escaleras de caracol parecen un sacacorchos y son inofensivas cuando están en un rincón, pero son mortales cuando están en el centro de la casa.

Las habitaciones deben tener forma regular, y las cocinas deben estar situadas en la mitad posterior de la casa.

Si la casa tiene varias alturas, los comedores deben estar más altos que los cuartos de estar.

La disposición ideal de las habitaciones hará que el chi recorra tu casa con un flujo regular.

Buena situación de un
despacho, en el rincón
más profundo del edificio
de oficinas.

Si cuidas el feng shui
de tu oficina, tu
negocio prosperará.

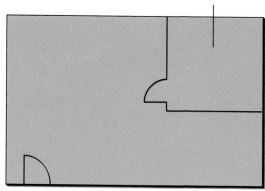

Situación poco
propicia, demasiado
cerca de la entrada.

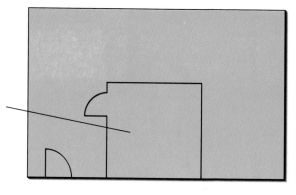

EL FENG SHUI DE LAS OFICINAS

Cuando tienes buen feng shui en el trabajo, reina la armonía en la oficina y prevalece el espíritu de colaboración. El mal feng shui puede acarrear discordias y pérdida de beneficios. Si ocupas un cargo de dirección, lo ideal es que tu despacho esté situado en una zona del fondo de la oficina, pero no al final de un pasillo largo. Tu feng shui afecta a la fortuna de toda la oficina.

▨ Siempre deben preferirse las habitaciones de forma regular a las irregulares.

▨ Todas las esquinas que sobresalgan deberán camuflarse con plantas.

▨ Evita sentarte justo debajo de una viga del techo.

▨ Si una ventana da a una vista de un vértice agudo, manténla cerrada permanentemente.

▨ No te sientes justo enfrente de unas estanterías abiertas.

POSICIÓN DE LA MESA DE TRABAJO

No te sientes a trabajar dando la espalda a la puerta. Te darán una puñalada en la espalda, literalmente. No te sientes dando la espalda a la ventana. Te faltará apoyo para tus sugerencias e ideas. Colócate siempre dando la cara a la puerta y, a ser posible, a una de tus orientaciones de buena suerte según el feng shui de la brújula. Sea cual sea tu posición y tu orientación en tu puesto de trabajo, procura que no parezca forzada. No intentes colocarte mirando hacia tu mejor orientación según la brújula si para ello te clavas una flecha envenenada causada por la disposición del mobiliario de oficina o por un pilar.

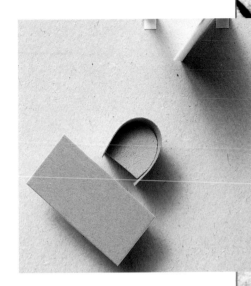

Mala posición de la mesa de trabajo, dando la espalda a la puerta.

Buena posición de la mesa de trabajo.
El puesto de trabajo mira hacia la puerta.
Pon detrás del puesto de trabajo un cuadro
o grabado que represente una montaña,
símbolo del apoyo.

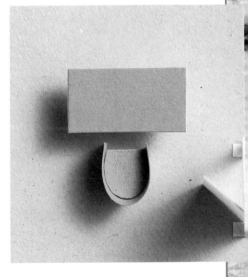

No te sientes nunca demasiado
cerca de la puerta: te distraerás
con facilidad.

DISPOSICION DE LOS MUEBLES

Los muebles del cuarto de estar no deben tener nunca forma de L. Cuando dispongas los sillones, los tresillos y la mesa de centro, intenta imitar la forma del Pa Kua, pues fomenta las buenas relaciones sociales entre los que se sientan allí. Es buena idea encontrar tu lugar favorito para colocarte en él cuando recibas a amigos en tu casa. Deberá ser una de tus orientaciones propicias según la brújula. Coloca el televisor y el equipo de música en el lado oeste o noroeste de la habitación, y una planta de tiesto o flores en el lado este. Lo ideal es que la chimenea esté al sur, pero también es aceptable situarla al sudoeste o al nordeste.

El televisor y el equipo de música deberán estar, idealmente, en el lado oeste o noroeste de la habitación.

La chimenea debe estar al nordeste, al sudoeste o al sur.

La habitación donde se reúnen las personas debe fomentar la armonía.

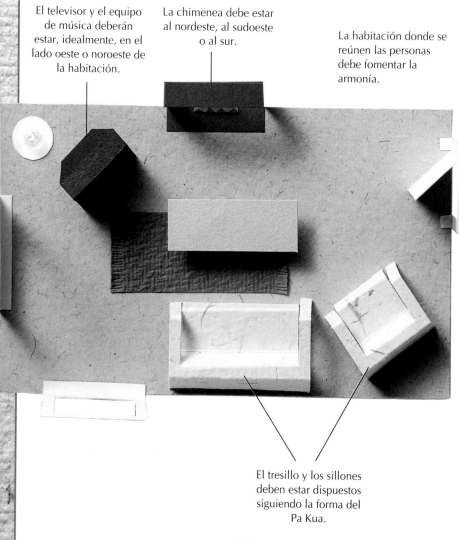

El tresillo y los sillones deben estar dispuestos siguiendo la forma del Pa Kua.

Buena disposición de las camas.

Con las camas bien dispuestas se conseguirá un sueño tranquilo y reparador.

Disposición poco propicia de la cama.

LOS DORMITORIOS

E N los dormitorios, las camas deben estar bien dispuestas. Coloca la cama en el punto diagonalmente opuesto a la puerta, y no duermas con los pies directamente hacia la puerta, pues se considera que esta es la posición de la muerte. No duermas bajo una viga del techo. No tengas espejos que reflejen directamente la cama, pues esto es muy poco propicio. Aunque las plantas, en general, tienen buen feng shui, no es recomendable tenerlas en los dormitorios. La energía yang de las plantas puede alterar a veces las energías yin necesarias para dormir bien por la noche.

CONSEJOS DE FENG SHUI
PARA EXTERIORES

CANALIZAR LAS ENERGÍAS TERRESTRES VIBRANTES

Uno de los medios más eficaces para canalizar la energía terrestre saludable hacia la casa es instalar en el jardín elementos propicios para el feng shui. Por pequeño que sea tu jardín, si sus orientaciones se pres- tan para introducir activadores concretos de feng shui, es recomendable hacerlo. Existen varias maneras sencillas de hacerlo.

- ▨ Si el jardín está orientado al sur, instala en él un punto de luz.
- ▨ Si está orientado al norte, instala en él una fuente pequeña.
- ▨ Si está al sudoeste, construye un muro bajo de ladrillo.

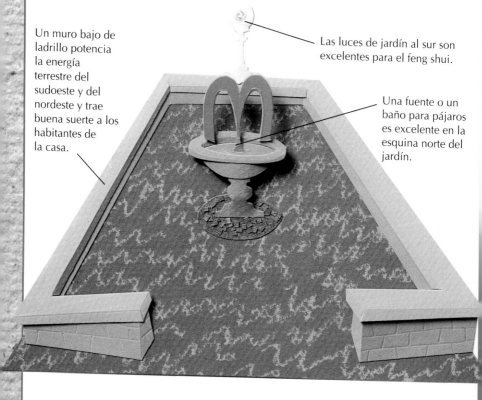

Un muro bajo de ladrillo potencia la energía terrestre del sudoeste y del nordeste y trae buena suerte a los habitantes de la casa.

Las luces de jardín al sur son excelentes para el feng shui.

Una fuente o un baño para pájaros es excelente en la esquina norte del jardín.

Pon galápagos en un pequeño acuario en tu jardín
y dales de comer con regularidad, o instala una figura
de una tortuga sobre un montículo de poca altura.
Así atraerás sobre tu casa la buena fortuna.

Otra manera excelente de canalizar la energía desde el suelo es hundir profundamente en el terreno un tubo largo e instalar una luz redonda sobre el mismo. Así se fomenta la subida del sheng chi propicio y los habitantes de la casa disfrutan de la buena fortuna que aporta esta energía positiva.

LA LONGEVIDAD Y LA BUENA SALUD CON LA TORTUGA

OTRO consejo especialmente bueno para los exteriores es introducir el símbolo de la longevidad en forma de la tortuga celeste. Las tortugas de verdad, colocadas en la parte norte del jardín, producen una buena suerte excepcional, pero también sirve un modelo de cerámica que represente una tortuga. La tortuga simboliza la suerte celestial en forma de buena salud, de protección y de apoyo.

EL EQUILIBRIO LO ES TODO

NO esperes el éxito de la noche a la mañana. Ten paciencia y haz ajustes sutiles cuando sea necesario. Si aprovechas y canalizas la energía terrestre en tu casa y en tu entorno, la buena fortuna vendrá como consecuencia.

LA DIMENSIÓN TEMPORAL

LA APLICACIÓN DEL FENG SHUI DE LAS ESTRELLAS VOLADORAS

 El feng shui de las estrellas voladoras es un método muy popular en Hong Kong, en Malasia y en Singapur, y que aborda los aspectos temporales del feng shui. El método de las estrellas voladoras aporta la dinámica vital de los cambios que se producen con el paso del tiempo, a la vez que complementa la dimensión espacial de todos los demás métodos de feng shui. Es un método muy avanzado, y no es indispensable que los practicantes aficionados se adentren demasiado en sus detalles técnicos. No obstante, te resultará útil contar con una tabla de referencia que te permita investigar el impacto de las estrellas voladoras sobre tu propio feng shui, teniendo en cuenta que este método es excelente para prevenirte de las estrellas voladoras que acarrean enfermedades.

"¿QUÉ SON LAS ESTRELLAS VOLADORAS?

Se trata de los números del uno al nueve, dispuestos en una cuadrícula de nueve sectores, en una disposición que se llama «cuadrado mágico Lo Shu». Los números vuelan por la cuadrícula y cambian de posición con el paso del tiempo. Cada mes, cada año y cada periodo de veinte años tienen su correspondiente disposición de números en el cuadrado. El experto de feng shui que sabe interpretar los números puede deducir mucha información a partir de cada una de las disposiciones.

SUR

4	9	2
3	5	7
8	1	6

EL PERIODO DEL SIETE

Actualmente vivimos en el periodo del siete, que comenzó en el año 1984 y no terminará hasta el año 2003. Esto significa que durante este periodo se considera que el número siete es muy afortunado. He aquí el cuadrado Lo Shu correspondiente a este periodo. Interpretando sus números se pueden deducir los sectores que serán más y menos afortunados hasta el año 2003.

SUR

6	2	4
5	7	9
1	3	8

El cuadrado Lo Shu de partida tiene en el centro el número cinco. Los números están dispuestos de tal modo que la suma de cualquier fila o columna de tres números o de cualquiera de las verticales siempre vale 15. En el feng shui de las estrellas voladoras, los números se desplazan por las casillas, y se interpretan en función de cuál está en cada cuadrado. Cada una de las ocho casillas periféricas del cuadrado representa una esquina de la casa. A efectos del análisis, la casilla central es la novena. El sur se coloca en la parte superior, siguiendo la tradición, pero esto sólo afecta a la presentación Utiliza una brújula para identificar las esquinas de tu casa.

Durante el periodo del siete, las estrellas de la enfermedad, el dos y el cinco, están situadas al sur y al este, respectivamente. Esto se interpreta en el sentido de que si la puerta principal de tu casa está situada en uno de estos dos sectores, los que vivan en ella estarán más sujetos a padecer enfermedades. También significa que los que duerman en dormitorios situados en los sectores correspondientes correrán mayor peligro de tener mala salud. El análisis será más preciso si se estudian también los números estrella correspondientes al año y al mes en cuestión. Cuando se presentan juntos todos los números estrella dos y cinco en el mismo sector, la enfermedad amenaza claramente en ese mes y en ese año a las personas que tengan sus dormitorios en ese sector. Cuando conozcas la época en que tienes mayores probabilidades de caer enfermo, no duermas en el dormitorio afectado por los números dos o cinco en ese mes.

Año	El núm. estrella 2 está en el	El núm. estrella 5 está en el
1997	Sudeste	Oeste
1998	Centro	Nordeste
1999	Noroeste	Sur
2000	Oeste	Norte
2001	Nordeste	Sudoeste
2002	Sur	Este
2003	Norte	Sudeste
2004	Sudoeste	Centro
2005	Este	Noroeste
2006	Sudeste	Oeste

Año	Mes 1	Mes 2	Mes 3	Mes 4	Mes 5
1997	Sudoeste	Este Noroeste	Sudeste Oeste	Nordeste	Sur Noroeste
1998	Nordeste	Noroeste Sur	Oeste Norte	Nordeste Sudoeste	Sur Este
1999	Nordeste Sudoeste	Sur Este	Norte Sudeste	Sudoeste	Este Noroeste
2000	Sudoeste	Este Noroeste	Sudeste Oeste	Nordeste	Noroeste Sur
2001	Nordeste	Noroeste Sur	Oeste Norte	Nordeste Sudoeste	Sur Este

HABITACIONES QUE SE DEBEN EVITAR EN PERIODOS DETERMINADOS

Tabla de referencia anual
(basada en el año lunar)

La tabla de la página anterior muestra las coincidencias de la estrella dos y la estrella cinco. La coincidencia de la estrella dos con la estrella cinco es muy peligrosa y acarrea enfermedades.

LA TABLA DE REFERENCIA MENSUAL
(Basada en los meses lunares)

La tabla de la parte inferior indica los sectores peligrosos durante cada uno de los doce meses lunares de cinco años. Estos son los sectores donde estarán

Según la tabla de la izquierda, las habitaciones que dan al sur son susceptibles de provocar enfermedades en 1999. En el 2002, las habitaciones que dan al sur y al este se deberían evitar y, en el 2005, también se deberían evitar las habitaciones que dan al sur.

situados los números estrella dos y cinco en el mes en cuestión. En los años 1998 y 2001 hay 13 meses lunares: por eso se ha duplicado uno de los meses.

Compara los lugares donde caen los números estrella dos y cinco en los meses indicado con los de los números anuales de las estrellas y con los números de las estrellas del periodo de veinte años.

Si coinciden los doses y los cincos, ese sector resultará peligroso, y cualquier persona que ocupe una habitación en un sector afectado haría bien en desocuparla de momento. Pon un cuidado especial cuando los números dos y cinco caen en el sector este, pues el sector este está afectado por el cinco en la estrella voladora del periodo de veinte años. Hemos señalado los meses y las orientaciones peligrosas. En los casos en que hay dos puntos, quiere decirse que los dos sectores indicados son peligrosos.

Mes 6	Mes 7	Mes 8	Mes 9	Mes 10	Mes 11	Mes 12
Oeste Norte	Nordeste Sudoeste	Sur Este	Norte Sudeste	Sudoeste	Este Noroeste	Sudeste Oeste
Sur Este	Norte Sudeste	Sudoeste	Este Noroeste	Sudeste Oeste	Noroeste	Noroeste Sur
Sudeste Oeste	Nordeste	Noroeste Sur	Oeste Norte	Nordeste Sudoeste	Sur Este	Norte Sudeste
Oeste Norte	Nordeste Sudoeste	Sur Este	Norte Sudeste	Sudoeste	Este Noroeste	Sudeste Oeste
Norte Sudeste	Sudoeste	Este Noroeste	Sudeste Oeste	Nordeste	Noroeste Sur	Oeste Norte

Los fundamentos
del feng shui

La riqueza

EL FENG SHUI DE LA RIQUEZA

LA ORIENTACIÓN SUDESTE

El trigrama que representa la aspiración a la prosperidad es el Sun, el cual, según la Disposición del Cielo Posterior, está situado al sudeste. Este es, por lo tanto, el rincón del hogar o de la oficina que representa la riqueza, y si este rincón tiene buen feng shui, entonces las aspiraciones de riqueza de la casa se cargan de energía. Pero si este rincón tiene mal feng shui, la familia sufrirá mala fortuna de dinero, que conducirá a pérdidas y al fracaso en los negocios. Por lo tanto, para activar el feng shui de la riqueza es fundamental asegurarse de eliminar o desviar toda energía negativa del rincón sudeste de tu casa o de tu oficina.

EL ELEMENTO MADERA

EL elemento de la orientación sudeste es la madera, representada por las plantas y por todo lo que está hecho de madera. Esto es muy significativo en la práctica del feng shui, pues es fundamental para el proceso detectar cuál es el elemento relevante y aplicable que se debe aplicar. Esto nos permite saber, por ejemplo, que colocar una planta al sudeste ejercerá unos resultados excelentes sobre el feng shui de la riqueza. Además, los ciclos que exponemos a continuación te enseñarán más atributos del elemento madera.

- El agua produce a la madera; por lo tanto, el agua la beneficiará.
- La madera, a su vez, produce el fuego; por lo tanto, el fuego la consumirá.

La madera es destruida por el metal; por lo tanto, el metal la dañará.

La madera destruye la tierra; por lo tanto, agotará la tierra.

El estudio de estos atributos nos hace ver que para cargar de energía los elementos del sudeste debemos utilizar objetos que simbolicen los elementos madera y agua y evitar los que pertenezcan al elemento metal. No obstante, es importante recordar que en el feng shui el equilibrio lo es todo. Un exceso de cualquier elemento dominará a los demás. Los elementos que se utilicen con sutileza se reforzarán mutuamente.

SUN

Este trigrama tiene dos líneas yang completas sobre una línea yin truncada, que representan el viento que trae la prosperidad. La imagen que evoca este trigrama es la del viento que dispersa las semillas a todos los rincones de la tierra. Las semillas caen al suelo, penetran en la tierra y empiezan a germinar. No tarda en surgir una planta. La planta florece y produce más semillas que son dispersadas de nuevo por el viento, y el ciclo de la prosperidad se repite una y otra vez. Así se simboliza la creación de riqueza. Se cree que, si activas este trigrama en tu hogar, todos tus proyectos económicos tendrán éxito.

EL CONCEPTO CHINO DE LA RIQUEZA

L A riqueza y la prosperidad son una aspiración casi universal de los chinos. No tienen ningún interés en ocultarlo. Las posesiones materiales son uno de los factores principales para que a uno lo consideren una persona de éxito, y el deseo de prosperidad de los chinos se refleja en muchas de las costumbres de su cultura.

Los chinos no suelen saludarse diciendo: «Hola, ¿cómo estás?», sino que se dicen: «¿Estás bien, has comido?». Esta preocupación por la comida está arraigada en el interés por el bienestar material. El cuenco de arroz suele servir de símbolo de este interés; por eso hay quienes consideran que un cuenco de arroz dorado es símbolo de la riqueza.

Los chinos envían tarjetas de felicitación rojas o doradas durante el festival del Año Nuevo.

Un cuenco de arroz dorado simboliza la riqueza.

Durante las celebraciones del Año Nuevo lunar (la fiesta más importante del año), los chinos se envían tarjetas que siempre son de color rojo (símbolo de las ocasiones propicias) o dorado (símbolo de la riqueza), y el mensaje de felicitación siempre es el mismo: «Kung Hei Fatt Choy», es decir: «Felicidades, y que seas más próspero». ¡La felicitación de Año Nuevo de los chinos no varía nunca de esas cuatro palabras!

Los chinos consideran que desear prosperidad a sus amigos y a sus seres queridos en el Año Nuevo constituye una parte importante de las celebraciones. Los chinos no se presentan nunca con las manos vacías en casa de sus amigos: siempre llevan algo de «oro». Uno de los regalos preferidos son las mandarinas, porque representan el kum, el oro, que sirve para fomentar la riqueza de la casa.

En los 15 días que duran las festividades del Año Nuevo chino se utilizan otros símbolos de la prosperidad, que se exhiben en la casa para favorecer el feng shui del nuevo año o que se envían como regalos a los amigos íntimos y a los parientes. Entre ellos figuran los siguientes:

▨ La piña tropical, que anuncia la llegada de la buena suerte.

▨ Un par de arbolitos de lima en tiestos, cargados de frutos, símbolos de la suerte de la riqueza.

▨ Una planta del jade en su tiesto, para desear prosperidad al que recibe el regalo.

La piña suele exhibirse durante el Año Nuevo Chino como símbolo de la buena suerte.

dose por las generaciones actuales.

Este libro está dedicado exclusivamente a los aspectos del feng shui que generan riqueza, y por eso ha resultado difícil su preparación, pues existen muchos símbolos, muchos métodos diferentes y muchas maneras de activar el feng shui de la riqueza. Bastará con que el lector recuerde que la eficacia de los métodos presentados será distinta para las distintas personas y dependerá de otros factores, sobre todo en el equilibrio de la fortuna Tien Ti Ren del individuo.

EL EQUILIBRIO

Cuando practiques el feng shui, no te preocupes si no puedes llevar a la práctica todas las sugerencias. No es bueno abusar. El equilibrio es fundamental. A veces puede ser suficiente con cargar de energía un solo método o con activar una orientación propicia. Un síntoma excelente de que está dando resultado tu feng shui es cuando descubres de pronto que últimamente estás muy ocupado. El buen feng shui aporta oportunidades, pero para que esas oportunidades se cristalicen en forma de riqueza, tú tendrás que trabajar para sacar el mejor partido de la riqueza que se ha puesto a tu alcance.

La búsqueda de la riqueza material constituye una parte tan importante de la psicología china que muchas directrices del feng shui se centran en ella. Si la práctica del feng shui se ha mantenido viva durante tantos años ha sido, sin duda, gracias a la promesa de prosperidad. El feng shui de la prosperidad, transmitido de padres a hijos, sigue practicándose

CARGAR DE ENERGÍA EL ELEMENTO MADERA

En el feng shui se activa cada uno de los cinco elementos cuando están presentes objetos que pertenecen al grupo concreto de dicho elemento. El método mejor para cargar de energía el elemento madera de la esquina sudeste, la de la riqueza, el sector llamado «de la madera pequeña», es utilizar todas las plantas que se pueda, sobre todo plantas pequeñas. Servirá casi cualquier tipo de planta, con tal de que tengan un aspecto sano y vigoroso. Por ello, hasta podrás utilizar plantas artificiales si quieres. No obstante, algunas plantas son más propicias que otras, y hay algunas que no son recomendables.

LAS PLANTAS QUE DAN SUERTE

El feng shui recomienda siempre el empleo de plantas de hojas anchas y con aspecto sano y verde. Si se utilizan plantas de flor, o flores cortadas, estas deberán tener siempre un aspecto fresco y sano. Las plantas de aspecto enfermizo o mustio emiten una energía negativa que anuncia las pérdidas. Por lo tanto, en este rincón no deberás poner nunca plantas secas. Si una planta empieza a marchitarse, tírala y reemplázala inmediatamente con plantas de aspecto más sano.

La planta china del jade es muy recomendable. Tiene hojas suculentas que indican riqueza. En las casas chinas ricas se exhibe una planta de adorno hecha de

Las plantas deben tener siempre un aspecto sano y verde. Si una planta tiene mala salud, sustitúyela por un ejemplar más sano.

Evita las plantas espinosas, como estos cactos, pues son poco propicios.

COLORES

El elemento madera también se activa utilizando los colores verde y marrón en cualquiera de sus tonos o matices. Las cortinas, las colchas, las alfombras y los papeles pintados que están al sudeste deberán tener el verde o el marrón como colores dominantes. Puedes ser tan creativo como quieras al implantar las sugerencias que damos aquí, y no son las únicas posibles, ni mucho menos. Algunas personas utilizan cuadros que representan paisajes con vegetación verde y frondosa para activar este rincón; otras ponen paneles de pared de madera. Hagas lo que hagas, no exageres. El equilibrio es fundamental.

jade de verdad, para estimular la prosperidad.

El árbol oriental de la lima, cargada de mucha fruta, es símbolo de una buena cosecha. Si no se dispone de ella, también se puede utilizar un naranjo o una planta artificial. Las naranjas recuerdan un árbol cargado de oro. Es una fuente de energía muy propicia para tenerla expuesta en el hogar.

LAS PLANTAS POCO PROPICIAS

EVITA las plantas deformes o atrofiadas, como los cactos o los bonsáis. Aunque estos tienen un aspecto muy pintoresco y pueden tener una belleza exquisita, su insinuación de crecimiento atrofiado no es buena. El feng shui propicio siempre indica un crecimiento abundante.

OTROS OBJETOS

ADEMÁS de las plantas y las flores, también se pueden colocar al sudeste otros objetos hechos de madera, pero siempre es preferible una planta viva. No dejes nunca en este rincón plantas secas ni moribundas, ni fragmentos de árboles muertos. Su energía debilita un rincón que necesita mucha vida.

Ten un acuario con peces de colores para atraer la suerte de la riqueza.

EMPLEO DE OBJETOS DEL ELEMENTO AGUA

L A teoría del ciclo productivo de los elementos nos indica que el agua produce la madera; por ello, los artículos relacionados con el agua servirán también para atraer la suerte de la riqueza. A lo largo de la historia el agua ha representado siempre la riqueza para los chinos. En muchos restaurantes chinos se expone en la pared la imagen de un pez o un motivo acuático que sirve para utilizar el elemento agua con el fin de mejorar el feng shui del local.

Tú también puedes presentar este motivo en forma de cuadro o pintado en la pared sudeste de tu cuarto de estar, o bien, como hacen los chinos, puedes comprarte una fuente en miniatura que hace fluir el agua en un ciclo sin fin. Este pequeño movimiento de agua se considera muy propicio, y cuando se utiliza en las tiendas y en las oficinas suele representar la buena suerte en el sentido de aumentar las ventas. También es buena idea poner un acuario bien iluminado con peces de colores. Los aparatos que oxigenan el agua, con su burbujeo, representan un excelente feng shui. Si tienes peces de colores, procura que sean nueve, de los cuales ocho deberán ser rojos y uno negro. El pez negro absorberá toda la mala suerte que caiga

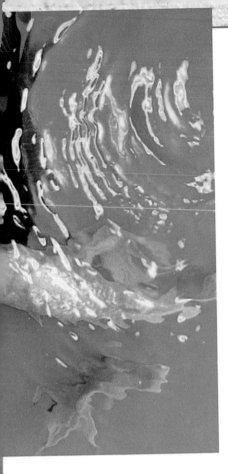

en ese rincón de manera imprevista. Es muy propicio tener arrowanas, que es un pez tropical que todos los expertos consideran como el pez que aporta mejor feng shui de todos.

Si tu habitación es grande o deseas activar el agua al sudeste de tu jardín para mejorar la suerte de la riqueza, podrás ser más ambicioso e instalar alguno de los elementos siguientes:

- Un estanque pequeño con carpas de la buena suerte, siempre que esté a la izquierda de la puerta principal de tu casa.

- Una cascada pequeña, que, si está situada ante la puerta principal de tu casa, se considera tan propicia que aporta una enorme suerte de la riqueza.

Las cascadas artificiales son muy populares entre los chinos del sudeste asiático, y muchos han visto subir sus cuentas corrientes después de instalarlas en su jardín. También en este caso, ten presente el equilibrio. No tengas una cascada tan grande que empequeñezca la casa.

Una pequeña cascada artificial en el jardín es extremadamente propicia.

LOS SÍMBOLOS DE LA PROSPERIDAD

En la práctica del feng shui existe una gran cantidad de simbolismo. Una de las bases de este simbolismo es la creencia de que exhibir en la casa objetos propicios atrae las energías afortunadas, sobre todo cuando dichos objetos están bien exhibidos y dispuestos en los rincones adecuados de la casa. Así pues, deben abundar los símbolos de la prosperidad, pues éstos representan al dinero bajo diversas formas, sobre todo a los objetos que servían de dinero en tiempos pasados.

Son muy populares los lingotes de oro y de plata falsos con la forma tradicional de barco, sobre todo en las fiestas del Año Nuevo lunar, en las que se exponen abundantemente por la casa. El hecho de que ese oro falso pertenezca al elemento metal no impide que se coloquen cerca de la entrada principal, con independencia de la orientación de la puerta principal de la casa.

LAS MONEDAS CHINAS ANTIGUAS

Pero el símbolo más popular son, seguramente, las monedas chinas antiguas que tienen un agujero cuadrado en el centro. Estas monedas tienen una potencia enorme, sobre todo cuando se cargan de energía con hilo rojo. Existen muchos modos de utilizar este símbolo de la buena suerte.

EMPLEO DE LAS MONEDAS

Ata las monedas entre sí con hilo rojo y déjalas colgadas en el rincón sudeste de la casa. No te excedas. Basta con tres monedas.

Entierra nueve de estas monedas en algún sendero o camino que conduzca a tu casa; o, si vives en un piso, ponlas bajo la esterilla ante la puerta de tu casa. Esto representa el dinero que viene a tu puerta. No olvides atar las monedas con hilo rojo. Si tienes una tienda, así se aumentarán mucho tus ventas y tus ingresos.

Los chinos exponen lingotes de oro falsos en sus fiestas de Año Nuevo para atraer la buena suerte.

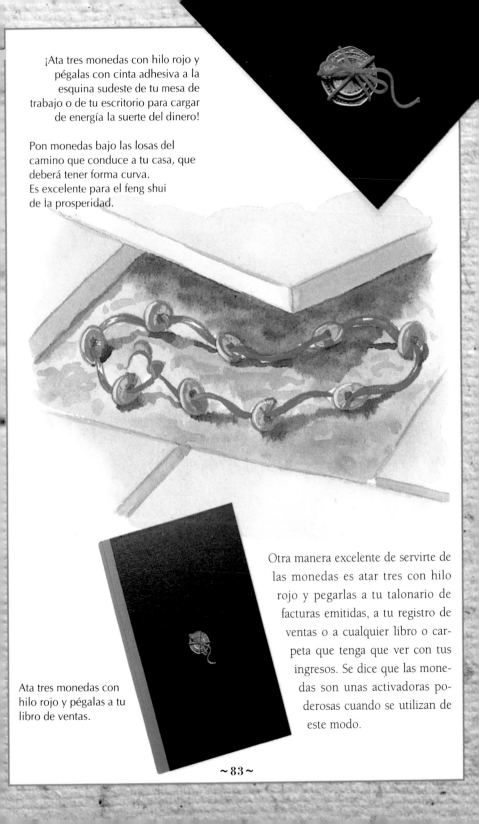

¡Ata tres monedas con hilo rojo y pégalas con cinta adhesiva a la esquina sudeste de tu mesa de trabajo o de tu escritorio para cargar de energía la suerte del dinero!

Pon monedas bajo las losas del camino que conduce a tu casa, que deberá tener forma curva.
Es excelente para el feng shui de la prosperidad.

Ata tres monedas con hilo rojo y pégalas a tu libro de ventas.

Otra manera excelente de servirte de las monedas es atar tres con hilo rojo y pegarlas a tu talonario de facturas emitidas, a tu registro de ventas o a cualquier libro o carpeta que tenga que ver con tus ingresos. Se dice que las monedas son unas activadoras poderosas cuando se utilizan de este modo.

ORIENTACIONES PERSONALES PARA LA RIQUEZA

LA FÓRMULA DE LA BRÚJULA

Esta fórmula, también llamada fórmula Pa Kua Lo Shu (o fórmula Kua, para abreviar), es un método de investigar las orientaciones personales para la prosperidad que fue comunicado al maestro de feng shui de la autora por un viejo gran maestro de feng shui taiwanés que alcanzó una fama legendaria en su época. El maestro Chan Chuan Huay, que fue asesor personal de muchos de los hombres más ricos de Taiwán de entonces, era experto en el feng shui de la riqueza, y tenía unos conocimientos especialmente profundos en la ciencia del feng shui del agua. También conocía esta fórmula Kua que presentamos aquí, y la aplicaba con un éxito espectacular para sus clientes, muchos de los cuales fundaron grandes grupos empresariales que ahora son dirigidos por sus herederos y por sus descendientes. No es casualidad que la pequeña isla de Taiwán sea tan rica. El feng shui se ha practicado mucho allí desde siempre.

LA RANA DE TRES PATAS

La rana de tres patas que lleva una moneda en la boca y que está rodeada de más monedas significa la abundancia de riquezas. La rana ya es, de suyo, un símbolo de buena suerte, pero se considera que la rana de tres patas simboliza algo muy especial. Estas figuras de rana son muy comunes, y por ello no es difícil encontrarlas en las tiendas chinas.

Si tu número Kua es el:

1 grupo del este

2 grupo del oeste

3 grupo del este

4 grupo del este

5 grupo del oeste

6 grupo del oeste

7 grupo del oeste

8 grupo del oeste

9 grupo del este

Si la encuentras y quieres exponerla en tu casa, el mejor lugar es una mesa baja en el cuarto de estar, desde donde se vea plenamente la puerta principal. No dejes la rana en el suelo. Siempre es recomendable elevar ligeramente los símbolos de la buena suerte.

LA FÓRMULA KUA

En la fórmula Kua no se utiliza el número cinco, aunque lo incluimos en la lista siguiente para mayor claridad. Las mujeres deben usar el número 8 en vez del cinco, y los hombres deben usar el 2.

Tu orientación de la riqueza es:

SUDESTE para hombres y mujeres.

NORDESTE para hombres y mujeres.

SUR para hombres y mujeres.

NORTE para hombres y mujeres.

NORDESTE para hombres y **SUDOESTE** para mujeres.

OESTE para hombres y mujeres.

NOROESTE para hombres y mujeres.

SUDOESTE para hombres y mujeres.

ESTE para hombres y mujeres.

LA FÓRMULA KUA

Calcula tu número Kua de la manera siguiente. Suma las dos últimas cifras de tu año de nacimiento chino; por ejemplo, **1967, 6 + 7 = 13.**

Si la suma es mayor que diez, redúcela a una sola cifra. Así pues, **1 + 3 = 4.**

Hombres	Mujeres
Restar la cifra obtenida del	Sumar a la cifra obtenida
10	**5**
Así pues,	Así pues,
10 − 4	**5 + 4**
= 6	**= 9**
Por tanto, para los hombres nacidos en	Por tanto, para las mujeres nacidas en
1967	**1967**
el número Kua es el	el número Kua es el
6	**9**

Ahora compara esta tabla para tu dirección y localización de salud.

CÓMO DORMIR, COMER Y COCINAR PARA FOMENTAR LA RIQUEZA

Cuando conozcas tu orientación favorable para la riqueza, podrás empezar a activarla para mejorar tus ingresos disponiendo la orientación de las camas y de los asientos de tu casa. El feng shui se potencia al máximo aplicando y activando estas orientaciones personales.

TU «BOCA» DE HORNO

El modo en que se cocina tu comida también ejerce su influencia sobre tu suerte. A los chinos, cuyo alimento básico es el arroz, le resulta fácil orientar la cocina de arroz de t modo que la «boca» de su horno esté orientada en la dirección de la riqueza. La «boca» es la parte por donde entra la electricidad en la cocina, según la hipótesis de que la energía que guisa el arroz debe proceder de la orientación de la riqueza, pues trae consigo la riqueza (la comida).

TU CAMA

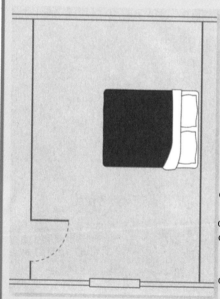

En primer lugar, debes asegurarte de que la cama esté dispuesta de una manera propicia según el feng shui de la escuela de las formas; a continuación, comprueba que no estés durmiendo bajo una viga del techo. Después, podrás activar tu orientación de la riqueza con la orientación con que duermes.

La flecha muestra el modo correcto de comprobar la orientación. Observa que la cabeza debe apuntar hacia la orientación de la riqueza. Si tu orientación de la riqueza es diferente de la de tu cónyuge, dormid en dos camas separadas, o seguid la orientación del que gane el pan de la familia. Observa también que la cama está dispuesta en diagonal respecto de la puerta y que los pies de la cama no apuntan hacia la puerta.

En las casas occidentales, la orientación que hay que disponer correctamente es la fuente de energía del horno o de la cocina. Esto puede resultar un poco complicado, pero vale la pena, pues orientar correctamente la «boca» del horno constituye una parte importante del feng shui de la riqueza.

TU MESA DE COMEDOR

Elige la silla que te permita sentarte mirando hacia tu orientación de la riqueza. Las flechas indican el modo de comprobar la orientación.

Es buena idea colocar un espejo grande en la pared del comedor para que se refleje en él la comida de la mesa. Así, la comida se duplica, lo cual se considera excelente para el feng shui de la riqueza. Procura que el espejo sea más alto que la persona más alta de la casa.

LOS DIOSES CHINOS DE LA RIQUEZA

En muchos hogares chinos están expuestos los dioses de la riqueza. Es raro que estas deidades reciban un culto religioso, pero se ponen en las habitaciones y en las oficinas como símbolo de la importancia de la aspiración a la riqueza. Si quieres hacer lo mismo, podrás encontrarlas en cualquier tienda china de las que hay en las grandes ciudades occidentales.

FUK, LUK Y SAU

Los más populares son los tres dioses de las estrellas, llamados Fuk, Luk y Sau, nombres que significan literalmente riqueza, opulencia y longevidad. Están presentes en casi todos los hogares chinos,

y se cree que aportan muy buena suerte a las familias, sobre todo suerte de la riqueza.

Fuk, Luk y Sau siempre están juntos.

▩ Fuk simboliza la felicidad y la riqueza, es más alto que los otros dos, a los que saca la cabeza, y se coloca en el centro.

▩ Luk, dios de la categoría social y de la opulencia, lleva el cetro del poder y de la autoridad. Está a la derecha.

▩ Sau, de gran cabeza redonda, lleva un melocotón en una mano y un bastón en la otra. Lo suele acompañar un ciervo, y está a la izquierda.

Las familias ricas de Hong Kong, Taiwán y Singapur suelen encargar imágenes gigantes de **Fuk, Luk y Sau** para exponerlas en habitaciones especiales, dedicadas a albergarlas. Las familias de clase media compran reproducciones de cerámica, de esmalte o de madera, que se consideran igualmente efectivas como símbolos.

OTRAS PERSONIFICACIONES DE LA RIQUEZA

EXISTEN otras deidades que se considera que aportan a las familias suerte de la riqueza.

El Buda feliz.

EL BUDA FELIZ

ES una deidad muy popular entre los hombres de negocios y los comerciantes. A este Buda gordo, de ancha sonrisa y de grueso vientre, se le suele ver, normalmente de pie, en los restaurantes y en las joyerías. Al Buda feliz también se le suele representar abanicándose sentado en una bolsa de oro (símbolo de la riqueza) o rodeado de un grupo de cinco niños.

TSAI SHEN YEH

ES otro dios de la prosperidad, popular entre los cantoneses. Tiene el gesto fiero y está montado en un tigre. Si lo colocas justo delante de la puerta principal, atraerás la riqueza a la casa.

KUAN KUNG

KUAN Kung, también llamado Kuan Ti, es una deidad popular. Se dice que aporta riqueza y protección, y también es el dios poderoso de la guerra. La vida de Kuan Kung se cuenta en la Novela de los Tres Reinos. Para atraer la buena suerte basta con exponer su gesto fiero en el cuarto de estar, mirando hacia la puerta principal a ser posible.

Kuan Kung.

WONG CHOY SAN

ES otra deidad popular de la riqueza, y se cree que es muy generoso con las familias que lo exhiben en su casa. Se le suele representar con una rata en la mano y con lingotes de oro a los pies.

Wong Choy San.

EL FENG SHUI PARA LA EMPRESA Y EL COMERCIO

LAS TIENDAS

Si eres propietario de una tienda, el modo de cargar de energía la suerte de la riqueza por medio del feng shui dependerá del tipo de comercio al que te dediques. Determina cuál es el elemento más representativo de lo que vendes, y acto seguido activa el rincón correspondiente que simbolice dicho elemento por su orientación. Expón en el local objetos y cuadros, o decóralo con motivos que aludan al elemento. Presentamos aquí algunos tipos de tiendas con sus elementos correspondientes.

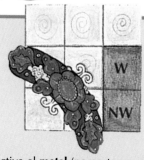

Activa el **metal** (noroeste y oeste) si te dedicas a la joyería o a la bisutería. Evita utilizar el rojo, y pon un carillón eólico en los rincones del metal. También es propicio poner un cristal de roca en el oeste.

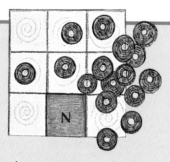

Activa el **agua** (norte) si te dedicas a cualquier negocio relacionado con el dinero. Las sucursales de bancos y de empresas de seguros, los bares, e incluso los restaurantes, pueden considerarse actividades de agua. Pon un elemento de agua al norte y decora tu local con un motivo acuático.

Activa la **madera** (este o sudeste) si tienes una tienda de alimentación o si te dedicas a vender cosas de papel o de madera. Pon una planta en el rincón este de tu tienda.

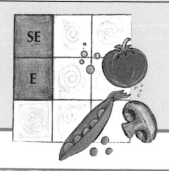

IDEAS PARA LA DECORACIÓN

Los imanes en forma de herradura pueden utilizarse para activar el metal. También dan mucha suerte los cristales de cuarzo naturales o los cristales artificiales tallados.

La manera mejor y más bonita de cargar de energía el elemento madera es sacar el mejor partido posible de las plantas. Hasta las plantas artificiales de tela son aceptables. Pero no utilices plantas secas ni fragmentos de árboles muertos.

Utiliza luces para activar el elemento fuego o enciende con regularidad una vela al sur. O bien, utiliza en tu decoración el motivo del fuego o del sol. La activación eficaz del elemento fuego aportará gran reputación a tu tienda.

Una de las mejores maneras de cargar de energía el elemento tierra para las empresas es exponer un globo terráqueo. Hazlo girar todos los días para desarrollar los mercados de exportación.

El elemento agua se puede cargar de energía por medio de imágenes de agua o instalando un motivo decorativo acuático, como puede ser una fuente pequeña o incluso un cuenco con agua. Recuerda que activar el elemento agua es bueno para casi todas las empresas.

Activa el **fuego** (el sur) si tienes un restaurante o un negocio de comidas preparadas, o si vendes lámparas y artículos para la iluminación. Pon una luz brillante, que esté encendida constantemente, al sur y en la entrada. Una planta del jade o un pequeño acuario en la entrada también son propicios para el negocio.

Activa la **tierra** (el sudoeste, el nordeste y el centro) si eres agente inmobiliario o si eres arquitecto o promotor. Utiliza colores de tierra en tu decoración y pon cristales de roca naturales o cristales artificiales al plomo tallados en los sectores de tu tienda o de tu oficina que correspondan a la tierra.

DOS CONSEJOS EXCELENTES PARA DUPLICAR LOS INGRESOS

Es fundamental proteger la caja registradora. La caja registradora, o el aparato lector de tarjetas de crédito, es el elemento más importante de todos los que hay en tu tienda. En primer lugar, procura que no le apunte nada que sea agudo ni afilado: puede tratarse del borde afilado de un rincón que asoma, de una viga en el techo, unas estanterías o incluso un objeto puntiagudo, como pueden ser unas tijeras o un cuchillo que alguien haya dejado allí cerca descuidadamente.

CONSEJO PRIMERO

Cuelga un carillón eólico encima de la caja registradora. Asegúrate de que los tubos del carillón estén huecos, pues este es el elemento carillón que animará al chi a subir. El sonido tintineante de los tubos del carillón fomenta también la creación de abundante chi de la buena suerte. El carillón puede tener cualquier número de tubos, excepto cinco. Si no encuentras un carillón, cuelga tres monedas chinas atadas con hilo rojo.
Una variante de este método popular consiste en colgar unas campanillas ante la puerta. Estas no solo sirven para anunciar la entrada de un cliente, sino que atraen también la buena suerte hacia la tienda.

CONSEJO SEGUNDO

Recubre de espejo la pared contigua a la caja registradora. Esto tiene el efecto de duplicar los ingresos de tu tienda. Deberás poder ver la caja registradora reflejada en el espejo, pero, al mismo tiempo, procura que la entrada no se refleje directamente en el mismo. Procura también que la caja registradora no se vea con facilidad desde el exterior de la tienda.

Los fundamentos
del feng shui
———
El amor

EL FENG SHUI DEL AMOR

LA ORIENTACIÓN SUDOESTE

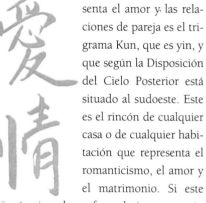

El trigrama que representa el amor y las relaciones de pareja es el trigrama Kun, que es yin, y que según la Disposición del Cielo Posterior está situado al sudoeste. Este es el rincón de cualquier casa o de cualquier habitación que representa el romanticismo, el amor y el matrimonio. Si este rincón tiene buen feng shui, se cargarán de energía positiva las aspiraciones matrimoniales y amorosas de los miembros de la familia.

Pero si este rincón tiene mal feng shui, la familia sufrirá mala suerte del matrimonio, que conducirá a divorcios, soledades, infelicidades y una falta casi total de oportunidades matrimoniales para los hijos y las hijas de la familia. Así pues, el feng shui del amor debe empezar siempre por un examen de este sector de la habitación o de la casa.

EL ELEMENTO TIERRA

EL elemento del rincón sudoeste es la tierra, simbolizada por los cristales de roca, las piedras, las rocas y por todas las cosas que pertenecen al suelo. La identificación del elemento que se debe activar en cada caso constituye una parte esencial de la aplicación. Esto nos indica, por ejemplo, que colocar una piedra en la esquina sudeste del jardín activará unas oportunidades amorosas y matrimoniales·excelentes para todos los residentes de la casa que no tienen pareja.

- El fuego produce la tierra; por ello, se dice que el fuego es bueno para la tierra.
- La tierra produce, a su vez, el metal; por ello, se dice que el metal la agota.
- La tierra es destruida por la madera; por ello, se dice que la madera es dañina para ella.
- La tierra destruye el agua; por ello, se dice que domina al agua.

A partir de estos atributos sabemos que para reforzar los elementos del sudeste podemos utilizar objetos que simbolicen los elementos tierra y fuego, pero que debemos evitar el elemento madera.

El KUN

La disposición de trigramas llamada del Cielo Posterior se utiliza dentro de los hogares.

Este trigrama está compuesto de tres líneas yin truncadas. El Kun es el trigrama que simboliza la madre Tierra. El trigrama tiene asociado el concepto de la matriarca ideal, de todo lo que es receptivo y de la energía yin esencial. El Kun simboliza a la persona que acepta todas las responsabilidades de la familia y desempeña la tarea fundamental de mantener unida a la familia, dando a luz a los niños, criándolos y repartiendo amor y amabilidad a pesar de su duro trabajo. Como la tierra, la matriarca lo cría todo y lo acoge todo de nuevo. La tierra sustenta las montañas, alberga en su seno a los mares y es perdurable. Este trigrama es poderoso. Una de sus mejores representaciones es una montaña, y un cuadro que represente montañas, expuesto en el rincón Kun, aporta una suerte amorosa extraordinaria.

CARGAR DE ENERGÍA EL ELEMENTO TIERRA

En el feng shui se activa cada uno de los cinco elementos cuando están presentes los objetos que pertenecen al mismo. Uno de los mejores objetos que se pueden utilizar para cargar de energía el elemento tierra del rincón sudoeste, el del amor, es un cristal de roca, sobre todo el cristal de cuarzo natural que sale de la tierra.

LOS CRISTALES DE ROCA

La amatista en bruto, el cuarzo y otros cristales naturales mantendrán una armonía excelente con el sector sudoeste. Por otra parte, también son eficaces otros minerales y metales de la tierra, si bien la energía que se genera al exponer los cristales de roca resulta especialmente positiva. Si quieres, también puedes utilizar cristales artificiales al plomo, que pueden ser pisapapeles o incluso símbolos de la buena suerte hechos de cristal y que tienes expuestos sobre tu mesa.

Las facetas del cristal de roca y del vidrio tallado tienen una potencia especial cuando se combinan con la luz. Se dice que las arañas de cristal atraen una buena suerte enorme. Las arañas, colgadas en el rincón sudoeste de una habitación, producen una suerte maravillosa para el amor y la vida de pareja. Las arañas con bolas de cristal talladas también resultan adecuadas en otros rincones de la habitación.

Cuando se cuelgan en el centro de la casa, inundan el hogar de una suerte de la familia extremadamente propicia. Esto se debe a que el centro de cualquier hogar, el núcleo de la vivienda, también está simbolizado por el elemento tierra, y debe representar la zona de mayor concentración de energía o de chi. Por este motivo, el feng shui también previene en contra de situar las cocinas, los trasteros y los retretes en el centro de la casa, pues todas estas cosas destruyen el chi beneficioso.

Pisapapeles de cristal de cuarzo natural y de cristal artificial.

Las arañas de cristal, si te las puedes
permitir, constituyen unos elementos
excelentes para cargar de energía el
feng shui. La combinación del cristal (el
elemento tierra) con la luz (el elemento
fuego) suele presagiar el éxito y la
felicidad.

Si no te puedes permitir una araña de
cristal, compra algunas bolas sueltas y
cuélgalas cerca de una luz o ante las
ventanas que son bañadas por la luz del
sol. Así se introducen en la casa
valiosas energías yang, y la luz del sol
se disgrega a veces en arcos iris llenos
de colorido.

OTROS OBJETOS DE TIERRA DE BUENA SUERTE

Los jarrones y los cacharros grandes, decorativos, de cerámica o de loza son excelentes para los rincones sudoeste de las habitaciones. Pon en estos jarrones plumas de pavo real, flores artificiales de seda o, mejor todavía, flores recién cortadas. En ningún caso pongas flores ni plantas secas ni muertas, ni siquiera trozos decorativos de madera de árboles. La madera muerta y las plantas secas representan la muerte de una relación de pareja.

Un globo terráqueo es un símbolo maravilloso de la madre Tierra. Se ha descubierto que este objeto es muy eficaz para estimular el rincón sudoeste de las habitaciones. Ponlo sobre una mesa y actívalo todos los días haciéndolo girar. Así se genera una energía yang maravillosa que equilibra estupendamente el yin del rincón sudoeste.

Cualquier cacharro decorado o jarrón de piedra activará el elemento tierra en el rincón del amor.

COLORES

El elemento tierra también se activa utilizando tonos y matices de tierra. Por ello, las cortinas, las colchas, las alfombras y el papel de la pared del sudoeste deberán contener principalmente colores de tierra. Puedes ser todo lo creativo que quieras al llevar a la práctica estas sugerencias, que no son únicas ni mucho menos. Algunas personas utilizan cuadros que representan paisajes de montaña para activar este rincón. Pero, hagas lo que hagas, no te excedas. Mantén un equilibrio. En el feng shui, suele ser mejor la moderación que el exceso.

UN CONSEJO ESPECIAL

Un consejo para cargar de energía el rincón sudoeste con el fin de atraer parejas adecuadas para las hijas casaderas es poner unos guijarros dentro de un vaso poco hondo o de un cuenco de cristal, llenarlo de agua, dejar flotar unas flores en el agua si las tienes, y poner en el centro una vela flotante. Así se combina toda una cesta de elementos, y al encender la vela cada día atraerás energía vital hacia ese rincón. Si pones flores, cambia las flores y el agua todos los días. Los guijarros pueden ser de cualquier color. Combina varios colores si quieres.

Para activar el elemento tierra se utilizan en la decoración telas de colores tierra suaves.

EMPLEO DE OBJETOS
DEL ELEMENTO FUEGO

La novia va vestida de rojo,
color que simboliza la felicidad
y la fiesta.

L A teoría del ciclo productivo de los elementos nos hace ver que el fuego produce la tierra, por lo cual los objetos del elemento fuego también pueden servir para activar el sudoeste con el fin de cargar de energía la suerte del matrimonio y de la pareja. Para los chinos, el color rojo, que es el del elemento fuego, representa la felicidad, la fiesta y las celebraciones. Esto resulta evidente en las bodas chinas, en

las que la novia va siempre vestida de rojo.

También se puede estimular favorablemente el sector sudoeste de cualquier habitación situando en él la chimenea. Será un activador poderoso, sobre todo en los meses fríos de invierno, cuando se enciende el fuego que aporta calor y alegría a la casa.

LA TIERRA Y EL FUEGO

Puedes pintar a mano o con plantillas motivos de tierra y de fuego en las paredes del sudoeste de tu cuarto de estar, o incorporarlas en los diseños del papel pintado o en las telas de la decoración.

Las luces son otra herramienta poderosa del feng shui que pueden aplicarse para manipular el equilibrio de los elementos. Procura que haya siempre una luz fuerte en el rincón sudoeste. Al tener bien iluminado dicho rincón, se evita que las energías que están allí se enrancien, y el chi favorable que se creará de esa manera no se quedará estancado nunca.

El elemento del rincón sudoeste, que representa el amor, es la tierra, y se ponen motivos de tierra para activar las relaciones amorosas.

El motivo del sol es un símbolo poderoso del elemento fuego, y, cuando se coloca al sudoeste, se complementa admirablemente con el elemento tierra.

El nudo del amor, bordado en rojo, es extremadamente eficaz cuando se utiliza en el rincón sudoeste. Era muy popular entre las damas chinas de tiempos pasados. El nudo no tiene cabos y da la impresión de prolongarse sin fin, como símbolo del amor eterno.

ORIENTACIONES PERSONALES PARA EL AMOR

LA FÓRMULA DE LA BRÚJULA

Según los maestros del feng shui, la orientación de la familia se puede activar con el fin de atraer una suerte del amor excelente, no solo entre el marido y la mujer, sino también entre los padres y los hijos. Las parejas que tienen problemas para concebir hijos pueden servirse también de esta fórmula para determinar su orientación óptima para dormir. Pero la fórmula resulta especialmente útil para garantizar que los maridos y las esposas sigan viviendo juntos y felices.

EL CONCEPTO CHINO DEL AMOR Y LAS RELACIONES DE PAREJA

Los chinos consideran que el colmo de la felicidad doble son las relaciones de pareja duraderas. Consideran que la satisfacción en el amor y en el hacer el amor es un ingrediente principal de una vida con éxito y que vale la pena vivirse. Para los chinos, una vida amorosa feliz contribuye a la salud y a la longevidad, y el feng shui aborda directamente esta dimensión de la vida ofreciendo diversas sugerencias para

mejorar nuestras posibilidades de alcanzar esta felicidad.

El feng shui puede usarse para mejorar las perspectivas de las relaciones de pareja y para producir la felicidad y el respeto mutuo. No promete la fidelidad en el

Si tu número Kua es el:

1 grupo del este

2 grupo del oeste

3 grupo del este

4 grupo del este

5 grupo del oeste

6 grupo del oeste

7 grupo del oeste

8 grupo del oeste

9 grupo del este

matrimonio ni en la pareja, pero sí puede fomentar y reforzar la unidad familiar y, con ello, ofrecer armonía y paz a todos los que viven en el hogar.

LA FÓRMULA KUA

En la fórmula Kua no se utiliza el número 5, aunque lo incluimos en la lista siguiente para mayor claridad. Las mujeres deben usar el número 8 en vez del 5, y los hombres deben usar el 2.

Tu orientación del amor es:

SUR para hombres y mujeres

NOROESTE para hombres y mujeres

SUDESTE para hombres y mujeres

ESTE para hombres y mujeres

NOROESTE para hombres, y **OESTE** para mujeres

SUDOESTE para hombres y mujeres

NORDESTE para hombres y mujeres

OESTE para hombres y mujeres

NORTE para hombres y mujeres

LA FÓRMULA KUA

Calcula tu número Kua de la manera siguiente. Suma las dos últimas cifras de tu año de nacimiento chino; por ejemplo, **1978**, 7 + 8 = 15. Si la suma es mayor que diez, redúcela a una sola cifra. Así pues, **1 + 5 = 6.**

Hombres	Mujeres
Restar la cifra obtenida del	Sumar a la cifra obtenida
10	**5**
Así pues,	Así pues,
10 – 6 = 4	**5 + 6 = 11**
Por lo tanto,	**1 + 1 = 2**
para los	Por lo tanto,
hombres	para las
nacidos en	mujeres
1978	nacidas en
el número	**1978**
Kua es el	el número
4	Kua es el
	2

A continuación, comprueba en la tabla adjunta tu orientación y situación personal del amor.

DENTRO DEL DORMITORIO

Si bien lo ideal es tener un dormitorio de forma regular situado en la parte del hogar que corresponde a tu orientación del matrimonio y de la familia, esto no siempre es posible. Debes intentar siempre por todos los medios dormir con la cabeza dirigida hacia tu orientación personal. Si no te es posible, asegúrate de que no la tienes dirigida hacia ninguna de tus cuatro orientaciones no propicias. Selecciona una de las otras tres que te resulte adecuada.

LIMITACIONES QUE SE DEBEN OBSERVAR Y RESPETAR

No duermas nunca con un espejo dirigido hacia tu cama. Se considera que un televisor es lo mismo que un espejo, pues también refleja tu imagen. Si tienes un televisor en el dormitorio, procura cubrirlo cuando esté apagado. Un espejo en el dormitorio es uno de los elementos más dañinos de todos para el feng shui. Los espejos que están dirigidos hacia la cama reflejan a la pareja y sugieren intromisiones del exterior; en consecuencia, el matrimonio o la pareja se puede deshacer por la infidelidad. Si quieres mantener una relación de pareja armoniosa con tu ser querido, es muy recomendable que cubras los espejos montados en las puertas de los armarios y que traslades a otra habitación el tocador (con su inevitable espejo).

No duermas nunca bajo una viga vista del techo. La gravedad de su efecto adverso depende de por dónde atraviese la viga la cama. Si la divide en dos, además de producir graves dolores de cabeza, separa simbólicamente a la pareja que duerme debajo. Si la viga queda sobre las cabezas de la pareja, provocará desacuerdos menores que desembocarán en discusiones importantes. Si está sobre el lado de la cama, el efecto se reduce. Si tu cama está afectada por una viga, cambia de sitio la cama. Si esto no es posible, intenta camuflar la viga de alguna manera.

No duermas nunca en una cama dispuesta directamente ante la puerta del dormitorio, con independencia de la orientación con que duermas. Esta posición es igualmente dañina ya tengas la cabeza o los pies dirigidos hacia la puerta. Uno de los miembros de la pareja, o los dos, sufrirán mala salud. No habrá tiempo para el amor, y la salud se convertirá en un problema. Quita la cama de delante de la puerta o instala algún elemento que las separe de algún modo.

No duermas nunca de modo que te apunte el borde vivo de una esquina que sobresale. Es un problema común. En muchos dormitorios hay esquinas de este tipo, que son tan dañinas como los pilares. El borde afilado de la esquina es una de las flechas envenenadas más mortales que provocan el shar chi, o aliento mortífero. La solución de este problema es cubrir o camuflar la esquina. El empleo de plantas es ideal en el cuarto de estar, pero no es tan adecuado tener plantas en el dormitorio. Es mejor utilizar algún mueble para ocultar la esquina.

Cama · Puerta · ga · Televisor

Este dormitorio tiene una distribución desastrosa para el feng shui. La cama está atacada por flechas venenosas, hay un televisor que sirve de espejo, una viga del techo domina la cama y se está invitando a la mala salud a entrar por la puerta.

CÓMO MEJORAR TUS PERSPECTIVAS MATRIMONIALES

ACTIVAR TU RINCÓN DEL MATRIMONIO Y DEL AMOR

A las personas interesadas en dar más chispa y energía a sus vidas amorosas y en mejorar sus perspectivas matrimoniales, el feng shui de la fórmula Kua les ofrece algunas sugerencias sencillas pero eficaces. Si bien una buena parte del feng shui del dormitorio se dirige a captar la buena suerte para los que ya están casados, la combinación de la fórmula Kua con el empleo de símbolos de la buena suerte puede obrar a veces maravillas a la hora de producir una vida social y amorosa más activa y más agradable para los solteros.

CÓMO HACERLO

※ Comprueba tu orientación personal para el matrimonio y la familia según tu número Kua (ver páginas 104-105).

※ Elige una habitación de tu casa que quieras activar. Deberá ser una habitación donde pases mucho tiempo, pero es preferible que no sea tu dormitorio. El cuarto de estar o el estudio o cuarto de trabajo suelen ser ideales.

※ Colócate en el centro de la habitación y oriéntate con la brújula. Identifica el rincón de la habitación que represente tu orientación del matrimonio y de la familia. Para ello, superpondrás sobre la habitación una cuadrícula imaginaria de nueve sectores, y después señalarás con precisión el sector que representa tu rincón del matrimonio. Esta será la zona de la habitación que tendrás que activar.

※ A continuación, selecciona algunos de los símbolos de la buena suerte que se indican en la página siguiente. Puedes comprar los símbolos o hacértelos tú mismo.

Si te resulta difícil encontrar patos, los periquitos son también unos símbolos excelentes del amor. Incluso puedes tener unos periquitos vivos en tu rincón del amor, pero tenlos siempre en pareja.

Los patos deben exponerse siempre en pareja, nunca solos ni más de dos. Una pareja de patos simboliza una pareja de enamorados jóvenes. Estos patos se pueden activar poniendo un cuadro que los represente, o se pueden utilizar patos ornamentales de madera o de cerámica.

A los chinos les encanta la peonía o flor mou tan, que es un símbolo muy apreciado del amor. En la mayoría de los hogares chinos hay al menos un cuadro que representa esta flor, sobre todo en los hogares donde hay hijas casaderas.

SÍMBOLOS DEL AMOR Y DE LAS RELACIONES AMOROSAS

Los chinos tienen varios símbolos de las relaciones amorosas y de la felicidad conyugal. Aparte del símbolo poderoso de la felicidad doble, que puedes reproducir y colgar en la pared, otro objeto maravilloso que puedes exponer en tu rincón del amor es una pareja de patos mandarines.

También se pueden utilizar símbolos occidentales para la buena suerte amorosa: corazones, imágenes de un novio y una novia, ramos de novia, e incluso cuadros que representan amantes.

COMPROBAR LA COMPATIBILIDAD

LAS PERSONAS DEL GRUPO DEL ESTE Y DEL OESTE

La fórmula Kua que se utiliza en el feng shui de la brújula ofrece también uno de los modos más precisos de investigar el grado de compatibilidad de dos personas. Como norma general, es muy recomendable que las personas se casen con otras personas de su mismo grupo. Cuando una persona del grupo del este se casa con una persona del grupo del oeste, la compatibilidad de ambas se reduce gravemente y, en función de los números Kua personales de ambos, a veces es tan grave que cada uno de los dos acaba haciendo daño al otro. Es posible que el caso más notable de incompatibilidad de este tipo fuera el matrimonio del príncipe Carlos de Gran Bretaña y la princesa Diana, que terminó en separación y en desgracia.

EJEMPLO

Si tu número Kua es el tres, entonces tu mejor pareja será otra persona que tenga el número Kua uno, que es tu sheng chi. Esta persona no solo te hará feliz, sino que te traerá suerte. Por otra parte, también son compatibles las personas con números Kua nueve, tres y cuatro. Pero las que tienen el número Kua tres deberán evitar mantener relaciones con personas cuyos números Kua sean distintos de los indicados.

~110~

NÚMEROS KUA COMPATIBLES

Tu número Kua	Sheng Chi Kua	Tien Yi Kua	Nien Yen Kua	Fu Wei Kua
1	3	4	1	9
2	7	8 (h) 8 y 5 (m)	2 y 5 (h) 2 (m)	6
3	1	9	3	4
4	9	1	4	3
5	7 (h) 6 (m)	8 (h) 2 (m)	5	6 (h) 7 (m)
6	8 (h) 8 y 5 (m)	7	6	2 y 5 (h) 2 (m)
7	2 y 5 (h) 2 (m)	6	7	8 (h) 8 y 5 (m)
8	6	2 y 5 (h) 2 (m)	8 (h) 8 y 5 (m)	7
9	4	3	9	1

La tabla superior indica los grados de compatibilidad entre las personas de números Kua diferentes. Utilízala para comprobar la compatibilidad entre tu persona amada y tú. Recuerda que la clave para interpretar la tabla se encuentra en vuestros números Kua, que puedes calcular aplicando la fórmula de la página 105. Los hombres cuyo número Kua es el cinco deben fijarse en los números seguidos de (h), y las mujeres deben fijarse en los números seguidos de (m). La tabla contiene los números Kua que son compatibles con tu número Kua. Observa que las personas del grupo del este siempre son compatibles con otras personas del grupo del este, y las del grupo del oeste siempre lo son con las del grupo del oeste. Los grados de compatibilidad se describen de la manera siguiente:

- Sheng Chi Kua: extremadamente compatibles; tu pareja te aportará una suerte excelente.
- Tien Yi Kua: muy compatibles: tu pareja cuida bien de tu salud.
- Nien Yen Kua: extremadamente compatibles; una relación de pareja muy armoniosa y feliz.
- Fu Wei Kua: muy compatibles; tu pareja te apoya y te anima.

Tu número Kua	Ho Hai Kua	Wu Kwei Kua	Lui Sha Kua	Chueh Ming Kua
1	6	2 y 5 (h)	7	8 y 5 (m)
2	9	1	3	4
3	8 y 5 (h)	7	2 y 5 (h)	6
4	7	8 y 5 (m)	6	2 y 5 (h)
5	9 (h) 3 (m)	1 (h) 4 (m)	3 (h) 9 (m)	4 (h) 1 (m)
6	1	9	4	3
7	4	3	1	9
8	3	4	9	1
9	2 y 5 (h)	6	8 y 5 (m)	7

Los hombres cuyo número Kua es el cinco deben fijarse en los números seguidos de (h), y las mujeres deben fijarse en los números seguidos de (m). La tabla contiene los números Kua que son incompatibles con tu número Kua. Observa que las personas del grupo del este son incompatibles con las personas del grupo del oeste, y viceversa. Estos números se refieren únicamente a los números Kua, y no a ninguna otra cosa. Los grados de compatibilidad se describen de la manera siguiente:

- Ho Hai Kua: tu pareja te provocará accidentes y percances. La relación no es tranquila.
- Wu Kwei Kua: muy incompatibles; los dos reñiréis constantemente y en la relación habrá ira. Esta es la relación de pareja «de los cinco fantasmas», que indica que otras personas ajenas a la pareja conseguirán provocar problemas entre los dos.

EJEMPLO

Si tu número Kua es el ocho, entonces tu pareja más peligrosa es una persona que tenga el número Kua uno, que representa la pérdida total para ti, pero los números Kua nueve, cuatro y tres también son incompatibles y es mejor evitarlos. No puede existir felicidad a largo plazo en una relación de pareja de dos personas con estos números Kua.

※ **Lui Sha Kua:** extremadamente incompatibles; tu pareja te causará graves daños y una pena inmensa. Esta es la relación «de las seis muertes»; es mejor separarse.

※ **Chueh Ming Kua:** total e irremediablemente incompatibles. Tu pareja causará tu muerte, de manera figurada y literal. Puede arruinar tu reputación, hacerte perder riqueza y partirte el corazón por completo. Evita esta relación de pareja cueste lo que cueste.

OTROS SISTEMAS

La fórmula de los grupos del este y del oeste para determinar la compatibilidad entre los miembros de la pareja se complementa con el método astrológico, que aplica el sistema ghanzhi chino de los tallos celestiales y las ramas terrenales, más conocido por los signos de animales del zodiaco chino. En la Antigüedad se tenían en cuenta estos dos métodos, así como cartas astrales detalladas, para investigar la compatibilidad de la pareja. En algunos casos, aunque la fórmula Kua y el sistema ghanzhi indiquen compatibilidad, los elementos (la madera, el fuego, el agua, el metal y la tierra) de las cartas astrales tienen más fuerza que los otros datos, provocando problemas entre parejas aparentemente compatibles. Del mismo modo, los elementos de las cartas astrales pueden anular también una aparente incompatibilidad, pero estas cosas son poco frecuentes.

Los cinco elementos: fuego, tierra, metal, agua, madera.

CONSEJOS CONCRETOS DE FENG SHUI PARA LAS MUJERES

UN CONSEJO PARA LA MUJER CASADA

女性 Es importante que las mujeres que practican el feng shui recuerden que este es un antiguo arte chino. En el pasado, el feng shui se aplicaba para conseguir la riqueza, el éxito, la felicidad y la categoría social de las familias, sobre todo del cabeza de familia. El éxito del hombre no solo se solía medir por su riqueza y por su posición social, sino también por el número de concubinas y de esposas secundarias que tenía. De hecho, los hombres de categoría siempre tenían todo un harén de esposas. Así pues, cuando aplicas en tu hogar cambios inspirados en el feng shui, sobre todo los métodos relacionados con el empleo del agua (símbolo de riqueza), conviene que tengas mucho cuidado.

Uno de los consejos más importantes que me transmitió un maestro de feng shui que dominaba la práctica del feng shui del agua fue que los estanques en las proximidades de las casas nunca debían estar situados a la derecha de la puerta principal. Ya esté el estanque dentro o fuera de la casa, siempre debe situarse al lado izquierdo de la puerta principal. De lo contrario, aunque tu marido puede

El objeto de agua, a la izquierda de la puerta principal.

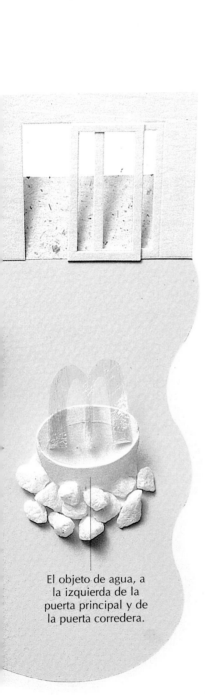

El objeto de agua, a la izquierda de la puerta principal y de la puerta corredera.

alcanzar el éxito e incluso volverse rico y próspero, también empezará a fijarse en las demás mujeres. En el mejor de los casos, si vuestro feng shui del matrimonio está bien equilibrado, se limitará a mirar. Pero, en el peor de los casos, bien puede pasar que se vuelva infiel o que llegue a abandonarte.

Por lo tanto, las mujeres debemos asegurarnos de seguir escrupulosamente esta directriz concreta respecto del agua si queremos que nuestros maridos o nuestros compañeros nos sean fieles. La situación del agua se determina mirando desde dentro de la casa. El estanque o la piscina debe estar a la izquierda según se mira desde dentro de la casa.

Las familias que tienen la suerte de tener piscina en su jardín deben prestar atención especial a esta directriz, dado que este principio se aplica igualmente a las piscinas, como a cualquier otro estanque de agua. ¿Acaso es casualidad que tantos hombres de éxito de todo el mundo se deshagan de sus mujeres después de llegar a la cumbre?

Si la casa tiene ya piscina o estanque situado al lado inadecuado de la puerta principal, ¡yo recomiendo a la señora de la casa que lo cambie de sitio, que lo rellene o que lo elimine por completo!

En la ilustración se muestran dos estanques, uno dentro de la casa y otro en el exterior. Ambos estanques están a la izquierda de las puertas: de la puerta principal y de la puerta corredera. Observa que la disposición se considera desde el interior de la casa.

Los fundamentos
del feng shui

———————

La fama

EL FENG SHUI DE LA FAMA

LA ORIENTACION SUR

Eᴸ trigrama que representa la fama, el reconocimiento y la reputación es el Li, que, según la Disposición del Cielo Posterior, está situado al sur. Así pues, el rincón sur de cualquier casa o de cualquier habitación representa el reconocimiento, la reputación y la fama.

EL ELEMENTO FUEGO

Eᴸ elemento dominante del sur es el fuego, cuyo símbolo son las luces fuertes, el sol, el color rojo y cualquier otra cosa que recuerde el fuego. En la aplicación del feng shui es fundamental identificar el elemento relevante que se debe activar. Esto nos permite saber que, por ejemplo, al situar una chimenea al sur activaremos unas oportunidades excelentes para volvernos famosos y muy respetados. Este tipo determinado de suerte resulta especialmente esencial para los políticos, las modelos, los cantantes, los actores y todos los que se dedican a profesiones que les exigen ser famosos y conocidos.

▩ La madera produce el fuego; por ello, se dice que la madera es buena para el fuego.

El fuego produce, a su vez, la tierra; por ello, se dice que la tierra lo agota.

El agua destruye el fuego; por ello, se dice que el agua es dañina para el fuego.

El fuego destruye el metal; por ello, se dice que domina al metal.

A partir de estos atributos, sabemos que para reforzar el elemento del sur podemos servirnos de objetos que simbolicen tanto el elemento fuego como el elemento madera, pero que debemos evitar por todos los medios cualquier cosa que pertenezca al elemento agua.

Este trigrama está formado por una línea yin truncada rodeada de dos líneas yang, continuas. Parece fuerte por el exterior pero es frágil y débil en su interior.

El Li es el trigrama que simboliza la luminosidad del fuego y el brillo del sol. Representa la gloria y el aplauso de las multitudes. También sugiere la actividad y el calor. El simbolismo de este trigrama es el de un hombre grande que perpetúa la luz alcanzando la notoriedad. Su nombre y su fama iluminan todos los rincones del mundo, deslumbrando a todos con su conducta ejemplar y su talento y sus logros magníficos.

En último extremo, el Li representa también el relámpago que nos permite medir el brillo propio de lo que representa. El color del Li es el rojo, color vivo y propicio que sugiere fiestas y ocasiones felices. El Li es el verano, y sus energías son más yang que yin.

CARGAR DE ENERGÍA EL ELEMENTO FUEGO

En el feng shui, cada uno de los cinco elementos se activa cuando están presentes objetos que pertenecen al grupo del elemento. Uno de los métodos mejores y más sencillos para cargar de energía el elemento fuego del sur, el rincón de la fama, consiste en utilizar luces fuertes: focos, arañas de cristal, luces que despiden destellos. Las luces representan también una valiosa energía yin, y por eso resultan especialmente potentes. En concreto, aunque lo que quieras conseguir no sea exactamente la suerte de la fama, siempre es bueno para el feng shui instalar una luz fuerte y tenerla encendida al menos tres horas cada noche.

Las luces se pueden instalar de muchas maneras diferentes. Se pueden colgar del techo, o instalarlas como apliques en la pared, o ponerse en forma de lámparas sobre las mesas, u ocultarse a nivel del suelo, apuntando hacia arriba: todos estos métodos son aceptables. De hecho, toda iluminación es aceptable. Puedes dar rienda suelta a tus ideas y a tu creatividad. Las luces pueden ser muy fuertes o más suaves. Las únicas limitaciones son que la luz debe ser blanca, amarilla o roja, y no azul ni de ningún otro color yin, y que debes abstenerte de usar pantallas o lámparas de mesa cuya forma produzca vibraciones hostiles, por tener puntas agudas o por parecerse a un objeto amenazador. Muchas lámparas de mesa modernas tienen formas que transmiten energías negativas, que se refuerzan por la propia luz.

Los focos pueden ser muy eficaces cuando iluminan directamente la pared sur de una habitación. Pero procura que la luz fuerte no moleste a los habitantes de la casa. Esto sería un exceso de energía yang, que no es recomendable.

LA ILUMINACIÓN

Esta lámpara de mesa es excelente para cargar de energía el feng shui. Su forma redondeada y sus colores son propicios.

LAS ARAÑAS DE CRISTAL

L AS arañas de cristal, si te las puedes permitir, constituyen unos elementos excelentes para cargar de energía el feng shui. Las facetas del cristal multiplican mucho la luz. Las arañas situadas en el rincón sur, si se tienen encendidas, aportan a los habitantes de la casa suerte propicia.

CRISTALES

Las lámparas de mesa como esta no son demasiado efectivas para cargar de energía el elemento fuego, pues tienen una forma poco amistosa.

Si no te puedes permitir una araña de cristal, busca bolas de cristal pequeñas, talladas, y cuélgalas de un hilo rojo cerca de una luz o ante las ventanas que son bañadas por la luz del sol. Así se introducen en la casa valiosas energías yang, y la luz del sol se disgrega a veces en arcos iris llenos de colorido que se reflejan en las paredes y en el techo.

COLOR ROJO

EL color rojo resulta especialmente signifi-cativo para activar el factor de reconoci-miento con el fin de aumentar al máximo el éxito. Todos lo consideran el color de la buena suerte, y siempre está presente en las fiestas y en las celebraciones importantes. Las novias chinas van vestidas de rojo casi siem-pre, y el nacimiento de un hijo se celebra con huevos teñidos de rojo. El Año Nuevo lunar se celebra llevando prendas rojas y entregando sobres rojos con dinero de la suerte a los niños y a los empleados.

De todo ello se deduce que el color rojo es muy significativo también en el feng shui, sobre todo para cargar de ener-gía el rincón sur de la habitación con el fin de animar allí la creación del chi de la buena suerte. Por lo tanto, si los residen-tes en la vivienda quieren beneficiarse de la suerte de la buena reputación, es muy importante que incorporen este color tan propicio en los tejidos y en los objetos de la decoración.

Los chinos utilizan huevos teñidos de rojo como símbolo de la celebración del nacimiento de un hijo.

Los niños y los empleados reciben sobres rojos con dinero para celebrar el Año Nuevo.

Se pueden exhibir al sur muchos objetos cotidianos con el rojo como color dominante. Entre ellos se cuentan los tejidos de decoración que se utilizan en las tapicerías, las pantallas de lámparas, las cortinas, las colchas, las alfombras y las moquetas.

DISEÑOS Y MOTIVOS

Se pueden incorporar motivos que aluden a la madera y al fuego en la decoración interior de las habitaciones de la parte sur del hogar, o en las paredes del lado sur de una habitación. La mejor manera de simular el elemento madera es a base de plantas, ya sean vivas o artificiales. Aquí presentamos algunos ejemplos de motivos de los elementos madera y fuego.

EMPLEO DE OBJETOS DEL ELEMENTO FUEGO

L A chimenea es, quizá, uno de los modos más eficaces de cargar de energía el elemento fuego del sur. Resulta especialmente significativo durante los meses de invierno, cuando está presente una gran cantidad de energía yin, que se refleja en el tiempo frío y en las noches largas. Es en esta estación cuando resulta más necesaria la energía yang de la chimenea, luminosa, cálida, viva y alegre.

Se puede poner sobre la chimenea un cuadro cuyo color dominante sea el rojo o una fotografía con marco de madera (dado que la madera produce el fuego) como complementos excelentes del elemento fuego.

El calor de este fuego en la pared del sur restaura perfectamente la energía yang debilitada.

ORIENTACIÓN DE LA FAMA Y EL ÉXITO INDIVIDUALES

EL CONCEPTO CHINO DE LA REPUTACIÓN

Para los chinos, tener buena fama y reputación es una de las virtudes más importantes. Cuando tienes reputación de persona honorable, honrada, digna, leal y dotada de gran integridad, entonces se dice que eres una persona superior. La lista de atributos positivos puede llegar a ser bastante larga, y muchos textos clásicos chinos que abarcan las tres filosofías principales de la China (el taoísmo, el confucianismo y el budismo) entran en grandes detalles para recomendar y explicar la necesidad de vivir así. La buena fama personal y la buena fama de la familia tienen una importancia primordial. Sin ellas, todo lo demás resulta vacío e insustancial.

Los atributos del hombre superior no se describen en ninguna parte con tanta elocuencia como en el *I Ching*, el Libro de los Cambios, que es probablemente la obra más importante del pensamiento clásico chino que se ha conservado a lo largo de los siglos. Tanto la filosofía taoísta como la confucianista arrancan de este gran texto. El feng shui también se basa en sus enseñanzas y, de hecho, una buena parte de las interpretaciones del feng shui se orientan en los significados que se atribuyen a los trigramas, los símbolos de tres líneas que ocupan un lugar tan destacado en el análisis del feng shui. Estos trigramas son los símbo-

Si tu número Kua es el:

1	grupo del este
2	grupo del oeste
3	grupo del este
4	grupo del este
5	grupo del oeste
6	grupo del oeste
7	grupo del oeste
8	grupo del oeste
9	grupo del este

los radicales de los sesenta y cuatro hexagramas del *I Ching*.

En el *I Ching* se alude con frecuencia al hombre superior, y el supuesto de partida del feng shui de la riqueza que estudiamos en este libro es la necesidad de disponer nuestro entorno inmediato de un modo tal que vivamos nuestras vidas de acuerdo con los atributos del hombre superior, y, lo que es más significativo, que los demás nos reconozcan, nos respeten y nos consideren como tales.

Tu orientación de la fama y el éxito es:

SUDESTE para hombres y mujeres

NORDESTE para hombres y mujeres

SUR para hombres y mujeres

NORTE para hombres y mujeres

NORDESTE para hombres, y **SUDOESTE** para mujeres

OESTE para hombres y mujeres

NOROESTE para hombres y mujeres

SUDOESTE para hombres y mujeres

ESTE para hombres y mujeres

LA FÓRMULA KUA

Calcula tu número Kua de la manera siguiente. Suma las dos últimas cifras de tu año de nacimiento chino; por ejemplo, **1965, 6 + 5 = 11.**
Si la suma es mayor que diez, redúcela a una sola cifra. Así pues, **1 + 1 = 2.**

Hombres	Mujeres
Restar la cifra	Sumar a la
obtenida del	cifra obtenida
10	**5**
Así pues,	Así pues,
10 – 2 = 8	**5 + 6 = 7**
Por lo tanto,	Por lo tanto,
para los	para las
hombres	mujeres
nacidos en	nacidas en
1965	**1965**
el número	el número
Kua es el	Kua es el
8	**7**

Recuerda que el número 5 no se utiliza en la fórmula Kua, aunque se incluye para mayor claridad en la tabla de la izquierda. Las mujeres deben usar el 8, los hombres el 2.

EVITAR TU ORIENTACIÓN DE LA PÉRDIDA TOTAL

AL abordar la cuestión importante de la reputación, el feng shui te advierte específicamente de la necesidad de evitar tener una puerta principal que se dirija a una de tus orientaciones poco propicias, y menos que ninguna a tu orientación de la pérdida total.

La orientación de la pérdida total puede ser peligrosa, como su nombre indica. Las personas cuya puerta principal está orientada hacia su chueh ming suelen tener peor suerte de lo normal. Parece que ninguno de sus proyectos sale adelante, y las oportunidades se les escapan de los dedos con una frecuencia desagradable. Es como si hubiera algo que les bloqueara la suerte. Cuando están pasando un periodo astrológico malo, el hecho de tener la puerta principal orientada en esa dirección puede conducir incluso a un escándalo, así como a una pérdida importante de reputación.

La determinación de tu orientación chueh ming depende de tu número Kua. Para protegerte a ti mismo y para proteger tu buena reputación, sería recomendable que consultases la tabla adjunta y que tomases las medidas correctivas oportunas. La mejor manera de corregir esta situación es utilizar otra puerta como puerta principal. Si esto no es posible, reorienta tu puerta principal para que esto al menos mire a una de tus direcciones

Tu número Kua	Chueh Ming (hombres)	Chueh Ming (mujeres)
1	SUDOESTE	SUDOESTE
2	NORTE	NORTE
3	OESTE	OESTE
4	NORDESTE	NORDESTE
5	NORTE	SUDOESTE
6	SUR	SUR
7	ESTE	ESTE
8	SUDESTE	SUDESTE
9	NOROESTE	NOROESTE

CÓMO REORIENTAR TU PUERTA PRINCIPAL

Una orientación del grupo del este se cambia para dar al noroeste, que es una orientación del grupo del oeste. La puerta primitiva miraba al norte. La puerta se cambia para que mire al noroeste.

La puerta nueva mira al noroeste.

La puerta primitiva mira al norte.

La misma orientación de la puerta, del grupo del este (mirando al norte), se cambia aquí para que mire al nordeste, que es una orientación del grupo del oeste.

Esta casa tiene otra puerta que mira al oeste. Si tu orientación chueh ming es el norte, sería mejor que utilizaras esta segunda puerta como puerta principal.

Si tu orientación chueh ming es el norte, utiliza la puerta que mira al oeste.

CONSEJOS ACERCA DE LAS PUERTAS PRINCIPALES

- ▨ Es preferible una puerta maciza a una puerta de cristal.
- ▨ La puerta debe abrirse hacia dentro, no hacia fuera.
- ▨ Es mejor una puerta convencional que una puerta corredera.
- ▨ No permitas que haya nada que bloquee el exterior ni el interior de la puerta.
- ▨ La puerta no debe ser ni demasiado pequeña ni demasiado grande.
- ▨ No tengas dos o tres puertas seguidas en línea.

ACTIVAR
EL AVE FÉNIX

El feng huang, o ave fénix, ocupa un lugar muy destacado dentro de las creencias tradicionales chinas.

En el feng shui representa el sur, y es uno de los cuatro animales celestes que se utilizan como símbolos en el feng shui clásico del paisaje. Cuando el ave fénix de color carmesí está ante la casa, visible desde la puerta principal, promete a los habitantes muchas oportunidades maravillosas. Los maestros de la escuela del feng shui del paisaje y de las formas interpretan así la presencia de una roca pequeña o de una colina de poca altura ante la casa, que representan un taburete pequeño para reposar los pies. Todos los demás atributos del ave fénix están relacionados con esta función de apoyo. Dado que preside el cuadrante sur de la brújula, el fénix simboliza también el sol y el calor del verano, así como una cosecha abundante.

Se cree que esta hermosa criatura es hija del fuego y del sol: por eso se dice que el ave fénix se levanta de las cenizas. Esto se debe a que en el ciclo de los cinco elementos el fuego produce la tierra (o las cenizas). Se considera que el ave fénix es muy yang, y se dice que es maravilloso para producir una suerte excepcional para la buena fama, no sólo para el que gana el pan de la casa sino para todos los hijos de la familia.

Cuelga un cuadro que represente al ave fénix en la pared sur, encima de la chimenea, sobre fondo rojo. Esto produce suerte propicia para la fama. Debes ponerlo en el cuarto de estar o de la familia, más que en el dormitorio o en el comedor.

EL GALLO
SIMBOLIZA
VARIAS VIRTUDES

- La cresta que tiene en la cabeza indica sus dotes literarias y su pasión por la cultura.
- Los espolones que tiene en las patas representan su ánimo audaz y valiente.
- El gallo es un sustituto eficaz del ave fénix porque también se le considera una manifestación principal del elemento yang, que representa el calor y la vida del universo.
- Canta todas las mañanas sin falta para anunciar la llegada de un nuevo día. Así pues, es fiel y fiable.

En el arte chino, el ave fénix aparece adornado con plumas de impresionante belleza, como corresponde al rey de las criaturas con plumas. Pero el ave fénix es una criatura legendaria, y se dice que sólo aparece en épocas de paz y de prosperidad.

SUSTITUTOS

SI no encuentras un cuadro que represente al ave fénix, cualquier pieza de cerámica que tenga pintada su imagen puede ser un buen sustituto. Si no encuentras un ave fénix de ningún modo, puedes servirte de la imagen de un pavo real o de un gallo como símbolo del fénix. De hecho, los chinos creen que todos los que han nacido en el año del gallo, según el calendario chino, tienen la posibilidad de transformarse en ave fénix. Esto significa que pueden conseguir gran fama y éxito y llegar a ser muy respetados y honrados por todos.

LOS OCHO SÍMBOLOS ORDINARIOS

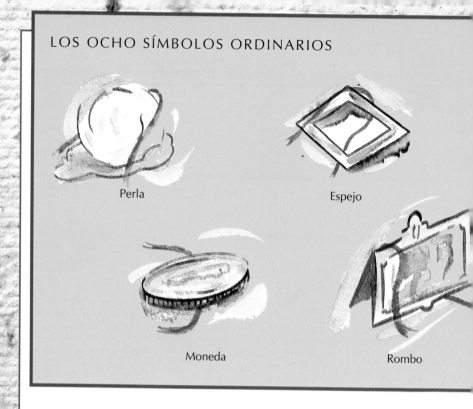

Perla

Espejo

Moneda

Rombo

SOLICITAR LOS OCHO TESOROS

CON el fin de hacer propicio el hogar, los practicantes del feng shui suelen solicitar los ocho tesoros colocando en el hogar sus símbolos y activando sus buenas calidades atándolos con hilo rojo o poniéndolos sobre un mantel rojo. Existen varias versiones de estos ocho tesoros, y resulta fácil confundir los símbolos si uno no está bien versado en los textos clásicos y en las leyendas de la antigua China. Para los fines del feng shui, basta con seleccionar los símbolos tomados de dos versiones.

Los símbolos son la perla del dragón, la moneda de oro, el espejo, dos libros, la hoja de artemisa, la piedra sonora (instrumento de percusión de piedra), los cuernos de rinoceronte y el rombo. No es necesario usarlos todos. La moneda de oro es un «tesoro» muy popular, pues al usarlo de este modo también es símbolo de la riqueza.

Se cree que estos símbolos de la buena suerte activan la suerte del éxito dentro de la casa. Dispón varios o todos en una mesa en el cuarto de estar, en el rincón que represente tu orientación del éxito según la fórmula Kua. No te olvides atarlos con hilo rojo o con cinta roja o ponerlos sobre un pequeño paño rojo, con el fin de activar sus cualidades.

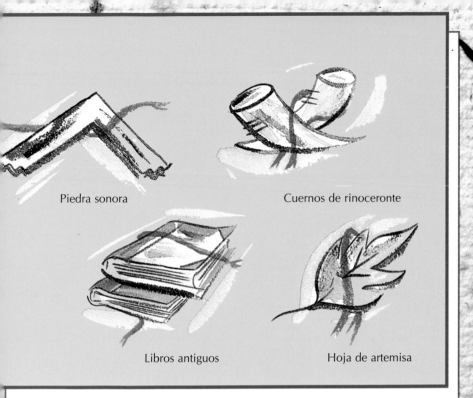

Piedra sonora

Cuernos de rinoceronte

Libros antiguos

Hoja de artemisa

CÓMO ACTIVAR LA MONEDA

AUNQUE puedes servirte de cualquier moneda para simbolizar la buena suerte de la riqueza, yo recomiendo siempre que se utilicen las antiguas monedas chinas que son redondas y tienen un agujero cuadrado en el centro y simbolizan la unión del cielo y la tierra. Por otra parte, las dos caras de la moneda simbolizan el yin y el yang. Se dice que la cara que tiene dos ideogramas es la cara yin, mientras que la otra, que tiene cuatro ideogramas, es la cara yang. Para los fines del feng shui, es recomendable atar juntas con un hilo rojo tres de estas monedas y dejarlas, con la cara yang hacia arriba, en tu rincón propicio. Las monedas se pueden dejar colgadas, sujetarse a la pared o dejarse sobre la mesa.

CÓMO ACTIVAR LA PERLA DEL DRAGÓN

SE supone que la perla es la esencia impalpable de la diosa de la luna, y se dice que sirve de amuleto que protege de un exceso de fuego. Así pues, protege contra el exceso de ambición que genera arrogancia y hace caer hasta a los más poderosos.

La perla también es símbolo de genialidad, de pureza y de belleza. Se puede decir, en general, que cualquier cosa redonda o esférica representa a la perla. Puedes exhibir una figura del dragón celeste con la perla en la boca, en el lado de la casa que corresponde al dragón (el este), con el fin de atraer la suerte de la buena fortuna para todas las mujeres de la casa.

LOS OCHO SÍMBOLOS PROPICIOS

S E cree que estos ocho símbolos aparecieron en la planta del pie de Buda. Son popularísimos y muy respetados por los chinos que practican el budismo. Los ocho símbolos son la rueda, la caracola, el parasol, el estandarte o la bandera, el loto, el jarrón, el pez y el nudo místico. Estos símbolos se suelen ver en las tiendas chinas, sobre todo el pez, que es seguramente el más popular de los ocho.

Cuenta la leyenda que las imágenes de la rueda, el toldo, el parasol, el pez, el jarrón, la caracola, el loto y el nudo místico se manifestaron en el pie del Buda.

LA RUEDA

Este es el símbolo de una persona cuya conducta e honorable y recta. Representa la autoridad y el pode conseguido. A vece es sustituida por la campana. Ponla en tu orientación afortunada y átala con un hilo rojo para activarla

EL ESTANDARTE

El estandarte o la bandera se suele decora con palabras o símbolos propicios, y se deja ondear al viento. Se cree que cada vez que el viento lo agita, activa la energía propicia y la buena suerte que están simbolizadas por el símbolo de buena fortuna que aparece en el estandarte. Se suele creer que los estandartes de tela roja traen buena fortuna.

EL PARASOL

Se trata de un antiguo emblema de dignidad y de alta categoría: en la antigüedad, a los altos funcionarios se le solían entregar parasoles como muestra de respeto. También es el emblema que ostenta uno de los cuatro reyes legendarios, Mo Li Hung, el guardián de sur. Pon un parasol en el rincón sur de tu casa como símbolo de protección contra la pérdida de reputación.

EL PEZ

El pez se aplica siempre como símbolo de la riqueza, debido principalmente a que la palabra «pez», en chino, tiene un sonido parecido a la palabra «abundancia». El signo del pez doble simboliza la felicidad. Poner el símbolo del pez en el hogar anuncia el éxito en el logro de nuestras metas.

EL JARRÓN

Se considera que un jarrón decorativo, lleno de agua hasta el borde y colocado cerca de la entrada, simboliza una gran buena suerte. No olvides mantener fresca el agua cambiándola con regularidad, y mantén un sentido del equilibrio ajustando el tamaño del jarrón al tamaño de tu casa.

LA CARACOLA

Antiguamente, éste era un símbolo de los reyes con el que también se solía representar un viaje próspero. Se supone que atrae una suerte excelente para la fama cuando se monta sobre un pedestal de palo de rosa y se expone en el rincón afortunado de la casa. La caracola también servía antiguamente de trompeta, y por ello simboliza que tu nombre será dado a conocer ampliamente.

EL LOTO

Este es uno de los símbolos más populares, y representa grandes logros a partir de los orígenes más humildes, como una flor magnífica que surge de unas aguas cenagosas. El loto es también símbolo del verano. Si quieres introducir en tu casa este símbolo de la buena suerte, incorpora el motivo en los tejidos de la decoración.

EL MUNDO MÍSTICO

Este nudo representa muchas cosas, entre ellas la longevidad, porque es eterno, y el amor, porque no tiene principio ni fin.

El nudo representa también que nuestro nombre alcanza la fama inmortal. Los maestros del feng shui imitan los motivos que se observan en los palacios de la Ciudad Prohibida de Pekín y recomiendan el empleo del nudo para simbolizar sus atributos en el hogar.

LOS TAMBORES, LAS TROMPETAS, LAS CAMPAÑAS Y LOS CARILLONES EÓLICOS

E STOS símbolos que generan sonidos son enormemente útiles para atraer al interior del hogar la suerte de la fama y del éxito. Los sonidos también producen energía yang. Estos símbolos, por sí solos, no tienen necesariamente la potencia de las orientaciones de la brújula. Pero son excelentes como complementos de la fórmula Kua y del empleo de los ocho tesoros.

Los tambores y las trompetas anuncian el advenimiento de hechos propicios. Si tu familia es aficionada a la música y en tu casa hay instrumentos de este tipo, guárdalos en una habitación que esté en la

La trompeta pertenece al elemento metal, y si se toca en la parte sur de la casa, activará la suerte de la fama.

Los tambores producen mucha energía yang y anuncian el advenimiento de hechos propicios.

parte sur de la casa o en el rincón que represente tu orientación del éxito. Si es posible, realizad en esas habitaciones vuestras prácticas musicales para contribuir a activar la suerte de la fama.

Las campanas y los carillones eólicos son unos objetos que suelen pertenecer al elemento metal, y que por lo tanto están controlados por el elemento fuego. Sus sonidos también son muy adecuados para el sur. Se pueden colocar en la parte sur de la casa, o en la parte sur de la habitación familiar o del cuarto de estar. Pero debes tener cuidado cuando utilices estos objetos para activar tu rincón personal del éxito. Las campanas y los carillones eólicos no se deben colocar en los rincones de la madera (el este y el sudeste), porque el metal destruye la madera. Por lo tanto, si resulta que éstas son tus orientaciones del éxito, es mucho mejor que no utilices estos objetos.

LOS CARRILLONES EÓLICOS

TAMBIÉN éstos son muy útiles para resolver los problemas comunes de feng shui que se suelen encontrar en cualquier casa. Cuélgalos cuando haya en el techo alguna viga descubierta especial-mente amenazadora sobre tu mesa de trabajo, tu mesa de comedor o tu dormitorio. Yo no soy partidaria de poner carillones eólicos en el dormitorio, pues no es recomendable activar allí demasiada energía yang.

Un carillón eólico desvía con eficacia el mal feng shui de la viga del techo.

Cuando hay tres puertas en fila, un carillón eólico colgado sobre la segunda desvía el mal feng shui de esta disposición.

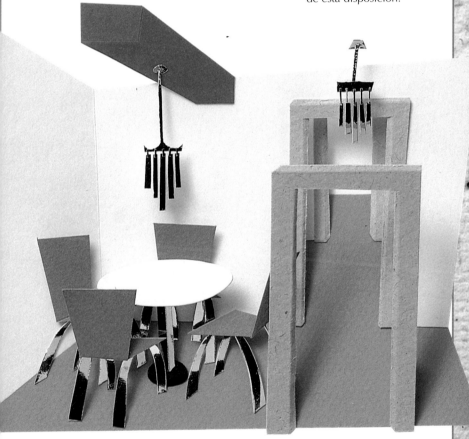

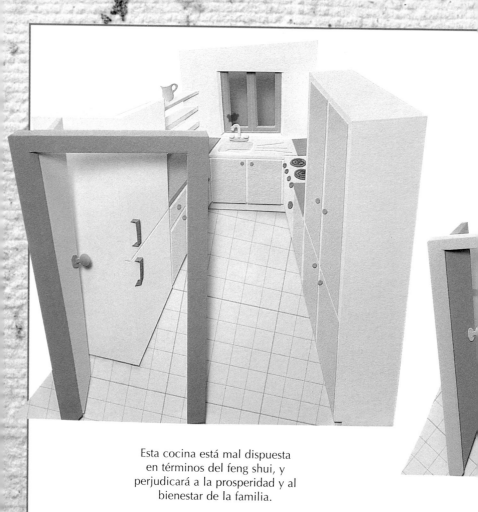

Esta cocina está mal dispuesta
en términos del feng shui, y
perjudicará a la prosperidad y al
bienestar de la familia.

DISPOSICIÓN DEL FOGÓN

LAS reputaciones de las personas pueden sufrir grandes daños cuando hay problemas con la disposición de la cocina (el fogón). El feng shui siempre advierte seriamente a los hombres y a las mujeres de que cuiden bien de tener bien dispuesta la cocina (o el fogón para el arroz, si éste es su alimento principal). Esto se debe a que la suerte de la fama y la reputación es muy vulnerable si el fogón está situado en un lugar equivocado o si mira hacia una orientación equivocada.

LA ORIENTACIÓN DEL FOGÓN

LA fuente de energía del fogón debe proceder siempre de la dirección que representa tu orientación personal del éxito. Si esto no es posible, intenta que proceda de una de las otras tres orientaciones que pertenecen a tu grupo de orientaciones. Intenta a toda costa que el fogón reciba su energía de alguna de tus cuatro orientaciones no propicias, pues esto puede conducir a pleitos, escándalos y pérdidas de reputación.

Esta cocina tiene dispuestos sus muebles y sus materiales de tal modo que el chi pueda fluir con libertad a través de ella, y no hay elementos que desentonen entre sí.

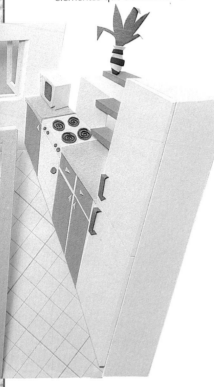

DIRECTRICES SENCILLAS

- El fogón no debe mirar hacia la puerta principal.
- El fogón no debe mirar hacia la puerta del baño ni del retrete.
- El fogón no debe mirar hacia la puerta del dormitorio principal.
- El fogón no debe estar situado justo debajo de una viga.
- El fogón no debe mirar directamente a un hueco de escalera.
- El fogón no debe estar en el noroeste de la cocina.
- El fogón no debe estar nunca en una posición rara ni en un rincón.
- El fogón no debe estar nunca encajado entre dos fregaderos o grifos.
- Esto simboliza lágrimas en la familia, causadas por una desventura o por una pérdida grave.

CUIDADO

Las energías que produce el fogón son fortísimas. Por lo tanto, es recomendable procurar que estas energías no perjudiquen a las zonas principales de la casa. No obstante, en el feng shui no siempre es posible disponerlo todo de manera correcta. Así pues, cuando haya que elegir entre varias opciones, opta siempre por proteger la puerta principal.

Los fundamentos
del feng shui

La salud

EL FENG SHUI PARA LA SALUD

LA ORIENTACIÓN ESTE

El Chen es el trigrama del desarrollo, que representa la buena salud. Según la Disposición del Cielo Posterior, está situado al este. Este es el rincón de cualquier casa o habitación que representa la buena salud de la familia.

Si este rincón tiene buen feng shui, los miembros de la familia, sobre todo el que gana el pan de la familia, disfrutarán de una salud excelente y alcanzarán una buena vejez. Si este rincón tiene mal feng shui, la familia padecerá enfermedades.

EL ELEMENTO MADERA

AL abordar la cuestión importante de la reputación, el feng shui te advierte específicamente de la necesidad de evitar tener una

EL ÁRBOL DE LA VIDA

El Árbol de la Vida, que nos recuerda a otras culturas, suele aparecer representado en las alfombras. Este sería un objeto adecuado para colocarlo en el este con el fin de simbolizar el trigrama Chen.

puerta principal que se dirija a una de tus orientaciones poco propicias, y menos que ninguna a tu orientación de la pérdida total.

- ▨ El agua produce la madera; por ello, se dice que el agua es buena para la madera.
- ▨ La madera produce a su vez el fuego; por ello, el fuego la agotará.
- ▨ La madera es destruida por el metal; por ello, el metal será dañino para la madera.
- ▨ La madera destruye la tierra; por ello, la madera domina a la tierra.

A partir de estos atributos sabemos que para reforzar el elemento del este podemos utilizar todos los objetos que simbolizan tanto la madera como el agua, pero que debemos evitar por todos los medios cualquier cosa que pertenezca al elemento metal. Profundizando más, vemos que el este está representado por la madera grande. Esto nos indica que las fuerzas intangibles de la madera en esta esquina son fuertes y poderosas y que no es fácil superarlas. La madera grande indica un desarrollo muy fuerte.

La madera es el único de los cinco elementos que está vivo y que es capaz de reproducirse a sí mismo. Esto da a entender que las energías yang de este rincón, aunque no salten a la vista de inmediato, son fuertes. Esta idea la indican de manera sugestiva las líneas del trigrama, en el que la línea continua yang está oculta bajo dos líneas yin. Así pues, el empleo de objetos inanimados hechos de madera puede ser tan efectivo como el empleo de plantas para cargar de energía este rincón de la casa.

CHEN

 Este trigrama representa al hijo mayor. Está compuesto de dos líneas yin sobre una sola línea yang continua. Chen significa también primavera, que es una estación de desarrollo. En el lenguaje del antiguo tratado chino I Ching, Chen significa el «despertar», caracterizado por grandes truenos que suenan en el cielo de la primavera, que despiertan a las criaturas que salen de su hibernación y que traen las lluvias vivificadoras. El Chen es un trigrama alegre que indica también la risa y la felicidad. Tiene una gran fuerza y energía.

El hecho de que represente el desarrollo y el vigor lo convierte en símbolo de la vida misma. Al activar el rincón que alberga este trigrama se atraen energías saludables para el desarrollo. La orientación es el este, y el elemento es la madera grande, que representa a los árboles más que a los arbustos, un color verde oscuro más que el verde claro y las estructuras de madera grandes (muebles), más que los objetos de madera pequeños (adornos).

CARGAR DE ENERGÍA EL ELEMENTO MADERA

CADA uno de los cinco elementos se activa por la presencia de objetos que pertenecen a su mismo grupo. Las plantas, sobre todo las plantas que crecen con salud y que tienen aspecto verde, lozano y bien cuidado, son probablemente los símbolos mejores para estimular el elemento madera del rincón este, el de la salud.

Si tienes la suerte de tener terreno alrededor de tu casa, intenta cultivar una mata de bambú en el rincón este de tu jardín. El bambú es uno de los símbolos más populares de la longevidad y de la fuerza en la China. Cualquier variedad es adecuada, pero ten bien cuidado el bambú en todas las estaciones del año.

Si en el rincón este de la habitación que quieres activar hay una ventana, pon una jardinera con plantas de flor. Así atraerás a la habitación la energía yang de la salud.

Deben ser, idealmente, plantas vivas, aunque también resultan bastante eficaces las plantas artificiales de aspecto realista, de seda o de otros materiales. Es importante evitar el uso de plantas secas o de plantas artificiales que parezcan muertas o que hayan acumulado tanto polvo que sugieran un triste estancamiento de las energías. Tampoco son eficaces las plantas artificiales que representan una planta en invierno. La idea es simbolizar las plantas que crecen con salud, con el aspecto que tienen en la primavera.

Si la habitación es pequeña, también puedes poner una planta pequeña en una mesa en el rincón este. En el feng shui debes ser consciente siempre de la necesidad de equilibrio. No debes caer en excesos al activar un elemento. Así pues, las plantas que se pongan en una habitación no deben dar la impresión de «abrumarla».

Si en la parte este de la habitación que se activa hay un borde agudo, provocado por una esquina que sobresale, por un pilar cuadrado o por un mueble, pon delante del mismo una planta, tal como la que aparece en la ilustración. Esto no solo sirve para desviar las energías dañinas creadas por el borde, sino que estimula al mismo tiempo las vibraciones del elemento madera. Con el tiempo, la planta puede perder su vigor, e incluso marchitarse y morirse. Si eso sucede, tírala y pon en el mismo sitio una planta nueva y fresca.

ORIENTACIONES PERSONALES PARA LA SALUD

LA FÓRMULA DE LA BRÚJULA

Según los maestros del feng shui, es posible activar la orientación y el punto cardinal personal de cada persona para conseguir una suerte de la salud excelente. Esto supone que la persona duerma y se siente con una orientación que le permita captar su tien yi, que significa literalmente «el médico de la orientación del cielo». Captarlo significa disfrutar de un estado de salud física y mental. Esta fórmula es ideal para las personas que están siempre cansadas y aletargadas, y también contribuye a aliviar a las que sufren enfermedades, aunque la práctica del feng shui se centra más bien en la prevención que en la curación.

EL CONCEPTO CHINO DE LA SALUD Y DE LA LONGEVIDAD

La longevidad y la salud han interesado a los chinos desde tiempos inmemoriales. Las prácticas tradicionales chinas están repletas de doctrinas y de técnicas que abordan este aspecto de la vida humana. Antiguamente, lo que se buscaba era la inmortalidad. Con el paso de los siglos se fueron buscando objetivos más realistas y se acabaron desarrollando técnicas que se podían practicar para alargar la vida. Estas técnicas se basaban en el concepto abstracto chino del chi. Si el chi humano

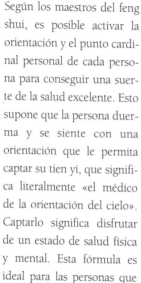

Si tu número Kua es el:

1 grupo del este

2 grupo del oeste

3 grupo del este

4 grupo del este

5 grupo del oeste

6 grupo del oeste

7 grupo del oeste

8 grupo del oeste

9 grupo del este

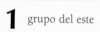
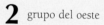

era fuerte y equilibrado, la salud del cuerpo físico sería excelente, pero si el chi estaba bloqueado, produciría enfermedades. Cuando el chi se extinguía del todo, se producía la muerte. Por otra parte, se creía que cuando existía una armonía completa entre el chi del ambiente y el chi humano, la consecuencia era una vida larga y feliz. Así, los chinos han desarrollado unos movimientos pensados para fomentar el flujo armonioso del chi en el cuerpo y para ejercitar los cinco órganos internos vitales (ver página siguiente).

Tu orientación de la salud es:

NORTE para hombres y mujeres

SUDOESTE para hombres y mujeres

ESTE para hombres y mujeres

SUDESTE para hombres y mujeres

SUDOESTE para hombres y **NORDESTE** para mujeres

NOROESTE para hombres y mujeres

OESTE para hombres y mujeres

NORDESTE para hombre y mujeres

SUR para hombres y mujeres

LA FÓRMULA KUA

Calcula tu número Kua de la manera siguiente. Suma las dos últimas cifras de tu año de nacimiento chino; por ejemplo, **1956**, $5 + 6 = 11$.
Si la suma es mayor que diez, redúcela a una sola cifra. Así pues, $1 + 1 = 2$.

Hombres	Mujeres
Restar la cifra obtenida del	Sumar a la cifra obtenida
10	**5**
Así pues,	Así pues,
$10 - 2 = 8$	$5 + 2 = 7$
Por lo tanto, para los hombres nacidos en	Por lo tanto, para las mujeres nacidas en
1956	**1956**
el número Kua es el	el número Kua es el
8	**7**

Recuerda que el número 5 no se utiliza en la fórmula Kua, aunque se incluye para mayor claridad en la tabla de la izquierda. Las mujeres deben usar el 8, los hombres el 2.

LOS EJERCICIOS DE SALUD DE LOS ANIMALES CELESTES

La orientación de tu hogar de acuerdo con los principios del feng shui se puede complementar con eficacia con los ejercicios para la salud creados por los maestros del Shaolin y del Tai Chi. Los movimientos de estos ejercicios fueron pensados para hacer que el cuerpo humano creara el aliento vital llamado chi. Muchos de estos ejercicios son muy sencillos, y llevan los nombres de los animales celestes, el dragón, el tigre, el ave fénix y la tortuga, y los de los animales de la longevidad, el ciervo y la grulla. El ejercicio de la tortuga pertenece a las dos categorías, y lo describimos en la página 151.

Cualquier persona puede practicar estos ejercicios para conservar los estados físicos y emocionales equilibrados. No obstante, si existe algún problema concreto que afecta a un órgano interno, selecciona el ejercicio adecuado, según la teoría de los cinco elementos, para aportar energía curadora al órgano afectado concreto. El corazón pertenece al elemento fuego, los pulmones al metal, el hígado a la madera, y el bazo y el estómago pertenecen al elemento tierra.

Este ejercicio está dirigido al elemento fuego, y es excelente para producir energías curadoras en el bazo, en el estómago y en todos los músculos del cuerpo. El ejercicio contribuye también a superar los sentimientos de ira, de angustia y de hostilidad y refuerza el corazón. El método se practica con libertad de formas y de manera relajada. Mantén la postura todo el tiempo que puedas y repítelo varias veces.

Se recomienda practicarlo durante media hora cada mañana. Sentirás un leve hormigueo en las

Esta es la segunda etapa del ejercicio del dragón. También es excelente para avivar tus ambiciones y para motivarte, pero de una manera muy relajada y que no provoca estrés. El método es muy sencillo y se basa en ciclos de respiración. Realiza nueve ciclos.

1. Ponte de pie quieto, mirando este, y piensa en el dragón. Flexiona ligeramente la rodillas y sujéta el ombligo con dos manos, manteniendo l columna vertebra recta y la rabadi recogida.

EL EJERCICIO DEL DRAGÓN RELAJADO

1. Ponte de pie con los pies separados a una distancia equivalente al ancho de tus hombros. Respira hondo varias veces y visualízate a ti mismo como un dragón.

2. Flexiona las rodillas muy ligeramente, mantén recta la columna vertebral y recoge la rabadilla. Deja los brazos sueltos a los costados, con las palmas hacia dentro. Respira normalmente, con la boca relajada y con la punta de la lengua tocando suavemente la parte superior del paladar. Mantén esta postura todo el tiempo que puedas.

palmas de las manos y, después de unos diez minutos, sentirás que el chi te sube por las manos. Con el tiempo y con la práctica, el chi te bajará hasta el tan tien, en la zona del ombligo, donde se cree que se almacena todo el chi humano. Este ejercicio es el primero que se practica en muchas artes marciales chinas diferentes.

EL EJERCICIO DEL DRAGÓN QUE RESPIRA

2. Con la mano izquierda en el vientre y la palma de la mano derecha cubriendo la mano izquierda, inspira por la nariz y siente la entrada de la respiración en el estómago. ¡Hazlo muy despacio!

3. Siente cómo se infla el vientre, como un tambor o como un globo.

4. Cuando ya no puedas inspirar más, inclínate hacia delante 15-25 grados y espira lentamente a la misma velocidad con la que inspiraste. Espira hasta que sientas el vientre hueco. Incorpórate. Aquí termina un ciclo de respiración.

EL EJERCICIO DEL AVE FÉNIX QUE VUELA

ESTE ejercicio está asociado al elemento metal y es útil para superar la melancolía y la depresión que, si no se resuelven, pueden provocar problemas pulmonares. Se dice que el ave fénix es capaz de surgir de las cenizas y de elevarse sin esfuerzo hasta grandes alturas. Este ejercicio alegra considerablemente el alma: sé consciente del movimiento del chi mientras lo realizas. Es un ejercicio maravilloso, y sentirás un hormigueo en las palmas de las manos al cabo de pocos minutos. Es el chi, que va acumulando poco a poco energía en las palmas de tus manos antes de pasar al interior y de llenarte de una sensación de bienestar. Se recomienda mantener esta postura durante unos 15 minutos cada mañana.

1. Ponte de pie, quieto, manteniendo la columna vertebral recta y la rabadilla recogida, con los pies separados y las rodillas ligeramente flexionadas. Imagínate que eres un ave fénix.

2. Extiende los brazos en horizontal, como si abrieras las alas para echar a volar.

3. Manteniendo los brazos extendidos, levanta suavemente las manos hasta formar un ángulo recto. Mantén las palmas de las manos mirando hacia fuera, absorbiendo el chi del entorno. Deja la lengua apoyada suavemente en el paladar y mantén esta postura todo el tiempo que puedas.

EL EJERCIC

La grulla de moño rojo es un símbolo popular de la longevidad, y los antiguos creían que la postura peculiar del ave (que se queda de pie sobre una pata, con la otra recogida sobre el vientre) era lo que le permitía sobrevivir comiendo cualquier cosa. Estaban convencidos de que aquella postura estimulaba el estómago del ave y sus órganos internos, reforzando así su sistema digestivo, respiratorio y circulatorio. Así pues, el ejercicio consiste en mantenerse sobre una sola pierna.

EL EJERCICIO DEL AVE FÉNIX FELIZ

También se llama a este ejercicio pak sau kung, o movimiento de los cien años. Se cree que es tan bueno para la salud, que los que lo practican con constancia todas las mañanas vivirán cien años. Es un ejercicio muy sencillo y solo se tarda diez minutos en hacerlo.

1. Ponte de pie con la pierna izquierda medio paso por delante de la derecha y los pies separados a una distancia equivalente al ancho de tus hombros.

2. Con las rodillas ligeramente flexionadas, la columna vertebral recta y la rabadilla recogida, extiende los dos brazos rectos al frente, con las palmas de las manos hacia abajo.

3. Inclínate hacia delante y hacia abajo despacio, hasta formar un ángulo de unos 20 grados, con la columna vertebral todavía recta (no curvada). Al mismo tiempo, deja caer los brazos hacia atrás, casi como si fueras a tirarte de cabeza a una piscina. Mira hacia abajo mientras te inclinas hacia delante.

4. Yérguete. Realiza el movimiento nueve veces.

LA GRULLA

1. Ponte de pie con los pies juntos y con los talones unidos. Apoya la planta de un pie en la pantorrilla de la otra pierna.

2. Ve subiendo despacio el pie hasta la parte interior del muslo. Después, levanta despacio las dos manos sobre la cabeza, inspirando al mismo tiempo. Junta las manos y mantén esta postura todo el tiempo que puedas.

LA TORTUGA MÁGICA

La tortuga es uno de los cuatro animales celestes de la cosmología del feng shui. La tortuga negra constituye junto con el dragón verde, el tigre blanco y el ave fénix carmesí, el importante cuarteto que define simbólicamente el feng shui del paisaje excelente. Como las demás criaturas, la tortuga es un instrumento importante del feng shui.

La tortuga también es muy importante por el papel que desempeñó al traer al mundo el cuadrado Lo Shu. Según una antigua leyenda china, los números del cuadrado fueron traídos a la humanidad en el caparazón de una tortuga que salió del río Lo hace muchos miles de años. El cuadrado Lo Shu es el instrumento que desveló los secretos del símbolo Pa Kua.

La tortuga simboliza varios aspectos maravillosos de la buena fortuna que hacen agradable la vida, pero su atributo más destacado es como símbolo de la longevidad. Hay una leyenda maravillosa que cuenta cómo esta conserva su energía con un mínimo de movimientos, reduce su necesidad de sustento y vive hasta cumplir los mil años.

La tortuga también es símbolo de apoyo. Su orientación es el norte y su elemento asociado es el agua. Por eso, su presencia en el sector este, el rincón que representa la buena salud, es muy compatible. Pon una figura de tortuga al este si quieres beneficiarte de las maravillosas energías de buena salud que aporta su presencia al hogar.

TORTUGAS Y SUSTITUTOS DE LAS TORTUGAS

Las tortugas se utilizan con frecuencia para activar el buen feng shui. Si no te resulta fácil encontrar tortugas, también es aceptable poner un terrario con galápagos en el rincón este. Recuerda que en el feng shui tiene mucha importancia el simbolismo, por lo cual sería eficaz incluso una pintura o una ilustración que representase una tortuga.

EL EJERCICIO DE LA TORTUGA

1. Relájate y después baja la barbilla hasta el pecho.

2. Estira hacia arriba la parte superior de la cabeza, a la vez que inspiras.

3. Lleva más hacia atrás la cabeza, a la vez que espiras.

Repítelo ocho veces.

Una leyenda cuenta que una tortuga vivía en una cueva con una familia que había quedado atrapada allí por un deslizamiento de tierras. Se cuenta que la familia sobrevivió 800 años imitando la economía de movimientos de la tortuga. Descubrieron que la tortuga prácticamente no se movía más que para sacar y meter la cabeza de su caparazón. De vez en cuando sacaba la lengua para recoger una gota de agua que caía del techo de la cueva. Imitando a la tortuga, la familia sobrevivió a lo largo de los siglos, su historia se difundió y pronto se hizo legendaria.

De esta leyenda surgió el ejercicio de la tortuga, que se practica en muchos sistemas de salud chinos. Se puede hacer de pie o sentados.

LAS ORIENTACIONES AL DORMIR AFECTAN A LA SALUD

LA SITUACIÓN DE TU DORMITORIO

睡眠

Si bien la fórmula Kua indica la situación ideal de tu dormitorio según los puntos cardinales concretos, también debes tener en cuenta otros factores. Así pues, con independencia de la situación del dormitorio en la casa, existen ciertas directrices que debes seguir estrictamente para salvaguardar tu salud. Una buena parte de ellas están relacionadas con evitar que te ataque lo que los maestros del feng shui llaman el aliento mortífero: las energías nocivas que producen enfermedades, mal humor y depresión.

Los dormitorios que están situados al final de un pasillo largo producen mala salud porque el flujo de energía es demasiado fuerte, sobre todo si la puerta de acceso al dormitorio está al fondo del pasillo, tal como se muestra en la ilustración de la página siguiente. La situación se agrava si existe también otra puerta en el otro extremo del pasillo, o si la cama que está dentro del dormitorio está dispuesta con los pies del durmiente dirigidos hacia la puerta. Quebrantar cualquiera de estas directrices acarrea problemas de salud para los ocupantes del dormitorio, y a veces las energías que se producen pueden ser tan fuertes que el efecto es abrumador. Una situación como esta se puede intentar resolver cambiando la posición de la cama.

Se dice que la energía de los dormitorios situados en una parte del edificio que no recibe nada de luz, o donde casi no hay ventanas, es demasiado yin. La falta de luz solar y de aire fresco enrancia el aire y el chi se queda estancados. Los dormitorios se deben ventilar con regularidad y deben estar bien iluminados, so pena de una acumulación de mal chi que se manifiesta en forma de enfermedades, primero, y en otras formas de mala suerte después.

Se consideran poco propicios los dormitorios situados en un sótano, o en una planta inferior que está justo debajo de un retrete, de una lavadora o de un fogón en el piso superior. Así se produce diariamente chi malo y dañino que afecta a la salud de las personas que duermen debajo. La peor situación es cuando una persona duerme debajo de un retrete. Evítalo cueste lo que cueste.

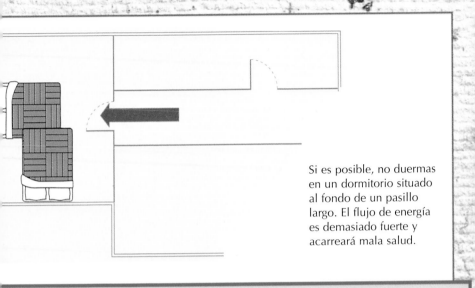

Si es posible, no duermas en un dormitorio situado al fondo de un pasillo largo. El flujo de energía es demasiado fuerte y acarreará mala salud.

A SITUACIÓN DE TU CAMA

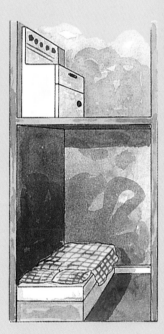

Evita dormir debajo de un retrete.

El chi dañino afectará a la persona que duerme debajo de una lavadora.

Se considera poco propicio dormir debajo de un fogón.

LA POSICIÓN Y LA ORIENTACIÓN DE LA CAMA

Antes de intentar aprovechar tu orientación óptima para la salud, asegúrate de que tu cama está colocada en un lugar propicio según el feng shui de la escuela de las formas. Siempre es recomendable empezar por protegerte de lo que los practicantes del feng shui llaman las flechas envenenadas. Estate atento a la presencia de elementos o estructuras agresivos que te pueden estar enviando, sin que te des cuenta, flechas envenenadas de mal chi mientras duermes. Estas producen dolores de cabeza, migrañas y otras enfermedades. Atiende a la colocación de la cama dentro del propio dormitorio.

La flecha de la ilustración muestra el modo correcto de comprobar la orientación. Observa que la cabeza debe estar dirigida hacia la orientación propicia. Si tu orientación propicia es distinta de la de tu pareja, dormid en dos camas separadas. Observa que la cama está dispuesta en diagonal respecto de la puerta. Esta es la colocación mejor desde el punto de vista del feng shui.

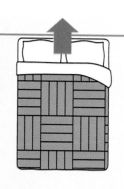

DIRECTRICES PRÁCTICAS

La distribución de los dormitorios en el plano general de la casa también es importante para salvaguardar la armonía del hogar. Procura elegir como dormitorio una habitación que no tenga ninguna de las características siguientes, así como observar algunas de estas directrices prácticas.

▨ Procura que la puerta del dormitorio no dé directamente a un retrete. Tampoco debe estar colocada la cama junto a una pared que tiene al otro lado un retrete.

▨ Intenta evitar que la puerta del dormitorio dé directamente a una escalera, pues esto hace que entre en el dormitorio chi desafortunado que hace daño a su ocupante.

▨ Procura evitar que la puerta del dormitorio dé directamente a la esquina que sobresale de otra habitación. Esto provoca un bloqueo de chi que acarrea enfermedades circulatorias al ocupante de la habitación.

▨ Si una habitación ha estado ocupada por una persona muy enferma, es buena idea airearla bien antes de asignársela a otra persona. Instala una luz fuerte, pinta la habitación de un color vivo y alegre y pon música. Así se vuelve a introducir la energía yang, que hace mucha falta.

EJEMPLOS DE DISPOSICIONES DAÑINAS DE LA CAMA

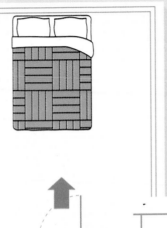

Una cama dispuesta justo delante de una puerta sufrirá mal chi.

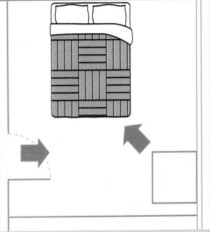

El borde agudo de una esquina saliente envía hacia la cama una flecha envenenada. Cambia de sitio la cama o camufla la esquina.

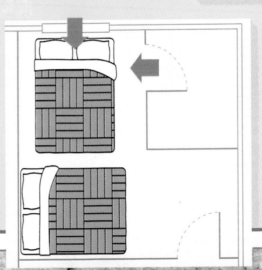

La cama está colocada justo debajo de una ventana. También la afecta la puerta al baño adjunto. Las dos características son poco propicias. La cama debe trasladarse y colocarse en el rincón opuesto.

Con frecuencia, el hecho de vivir cerca de una cárcel, de un hospital o de un cementerio puede provocar enfermedades por un exceso de energías yin.

CÓMO TRATAR LAS ENERGÍAS DEMASIADO YIN

CUANDO las energías que rodean un hogar son demasiado yin, estas suelen afectar a los habitantes, quienes contraen enfermedades con mayor facilidad. La teoría del feng shui requiere que exista siempre un equilibrio armonioso entre las energías yin y yang. Cuando existe demasiada energía yin, la salud se resiente; en general, más que cuando existe demasiada energía yang. Esto se debe a que el yin representa la muerte, mientras que el yang simboliza la vida.

Se considera que las energías yin son demasiado fuertes y abrumadoras cuando tu casa está situada en las proximidades de una comisaría de policía, de un cementerio, de un hospital, de un matadero o de cualquier otro sitio relacionado con la desesperación, la muerte y las enfermedades. La situación empeora cuando tu casa está situada justo al lado de cualquiera de estos lugares. Algunos practicantes del feng shui llegan a investigar la historia del terreno donde se va a construir una casa nueva, o la aplicación que se ha dado a los edificios que se van a convertir en viviendas. El feng shui afirma que las energías de los inquilinos anteriores persisten, y cuando estas son enfermizas o débiles, las energías son muy yin. En consecuencia, si tu casa se levanta en un solar que antes fue un hospital o una cárcel, lo más probable es que el lugar sea demasiado yin, posiblemente en un grado dañino.

Si puedes elegir, es recomendable que no vivas cerca de sitios así. En caso contrario, la mejor manera de tratar el exceso de energía yin es introducir dosis saludables de energía yang.

LAS HABITACIONES QUE SON DEMASIADO YIN

U NA habitación demasiado yin es la que ha estado ocupada por una persona muy enferma, la que no tiene ventanas o la que ha pasado varios años sin limpiarse, de tal modo que se ha permitido que las energías que contiene se enrancien y se estanquen. Si te trasladas a una habitación de este tipo, sucumbirás ante las energías malas aunque duermas con la cabeza dirigida hacia tu orientación de la salud. En tal caso, pinta la habitación o despeja la energía estancada dándole una buena limpieza e instalando luces fuertes. Después, haz sonar en ella algo de música para dar algo de vida al ambiente.

PONER MÚSICA

Los sonidos, sobre todo los alegres, son un antídoto maravilloso para el exceso de energía yin. Ten puesta la radio o la televisión todo el día, aun cuando no estés en casa, y sobre todo si vives solo. Los sonidos activan el espacio vital y despejan las energías rancias y estancadas.

Mantén bien iluminada constantemente la zona que está justo por delante de tu puerta principal. La luz fuerte simboliza la energía yang poderosa, y es muy eficaz para asegurar un equilibrio más propicio del yin y el yang. Los focos son ideales, pero también son eficaces los apliques para exteriores. Pinta tu puerta exterior de un color rojo vivo y alegre. Es una manera muy eficaz de contrarrestar el exceso de energía yin, e incluso puede darte suerte.

CÓMO CONTRARRESTAR LA ENERGÍA RANCIA Y ESTANCADA

CUANDO las energías que rodean a una casa y las que están en su interior se enrancian y se estancan, la salud de sus habitantes se resiente. Se considera que esta es una de las causas más comunes de la mala salud. Las personas contraen con regularidad resfriados, úlceras de estómago y otras enfermedades.

El chi estancado se produce sobre todo cuando no se ha despejado el aire del interior de la casa. Es fácil que el chi de dentro de la casa se quede estancado durante los días oscuros del invierno. La situación se agrava seriamente si la casa está abarrotada y llena de polvo. Esto se debe a que el invierno es la estación fría del yin, en la que hay escasez de energía yang. El predominio de la energía yin en esta época del año puede provocar, por lo tanto, enfermedades, estados letárgicos e incluso depresiones.

Tener la casa bien caldeada y bien iluminada produce energía yang sana. Naturalmente, así también se produce un calor muy necesario. Lo que es más importante, se consigue que las energías estén equilibradas y frescas. Poner música animada también genera chi alegre. Por eso es siempre una buena idea tener en la casa un árbol de Navidad. Al decorar el árbol con adornos y luces brillantes, se conseguirá crear un chi sano y maravilloso. La música coral hermosa e inspiradora también aportará chi alegre al espacio vital.

Todos los símbolos y los motivos propios de la Navidad aportan energía yang sana: las velas, las luces, las campanas, las cintas rojas, los adornos llenos de colorido que se cuelgan en árboles muy iluminados. Lo mismo sucede con las celebraciones o los festivales propios de la temporada en la mayoría de las culturas.

LA LIMPIEZA «DE PRIMAVERA»

Las iluminaciones en las fiestas, como las velas que encienden estos budistas de Shanghai, llenan el aire de chi saludable.

Puede que sea una necesidad inconsciente de limpiar la casa para despejar sus energías lo que ha llevado a las gentes de todas las razas y culturas a realizar una limpieza a fondo antes de celebrar las fiestas tradicionales, aunque no solo sea en la primavera. Lo mismo que hacen los judíos al celebrar la Pascua lo hacen los chinos que celebran el Año Nuevo lunar y los musulmanes que celebran el Eid al-Fitr después del mes de ayuno del Ramadán, una práctica que se considera que sirve para limpiar el cuerpo y la mente. En casi todas las fiestas alegres tradicionales hay momentos en que se encienden muchas luces. Las gentes del subcontinente indio, por ejemplo, celebran el Diwali, llamado también el Festival de las Luces.

Para gozar del feng shui sano en tu espacio vital, es esencial que la casa se mantenga limpia y despejada de trastos. Los desagües rotos deben arreglarse. Las cañerías representan las arterias de la casa, y cualquier bloqueo puede provocar graves enfermedades si se descuida. Los aparatos averiados deben repararse. Deberás retirar del jardín toda agua sucia o contaminada, y si se atasca el retrete o el baño, deberá desatascarse inmediatamente. Todo esto puede parecer de puro sentido común, pero resulta sorprendente la frecuencia con que se descuidan las tareas sencillas de mantenimiento. Esto es malsano desde el punto de vista del feng shui.

Despeja cualquier atasco en las cañerías de tu casa.

~159~

Los fundamentos
del feng shui

———————————

Los hijos

EL FENG SHUI PARA LA PRÓXIMA GENERACIÓN

CÓMO CARGAR DE ENERGÍA EL PA KUA PARA LA SUERTE DE LOS HIJOS

PARA activar la suerte de tus hijos debes empezar por comprender el Pa Kua. Se considera que el Pa Kua de la Disposición del Cielo Anterior es, por sí mismo, una herramienta protectora poderosa. El simple acto de colgarlo ante la casa, sobre la puerta principal, se considera muy eficaz para contrarrestar cualquier energía positiva que pudiera amenazar a la casa y a sus residentes.

Pero el Pa Kua, con sus círculos de significado añadidos, también es un instrumento de referencia para el feng shui. Cada uno de los trigramas que están dispuestos alrededor de su borde tiene su significado. Los trigramas son unos símbolos compuestos de tres líneas, que pueden ser enteras, yang, o truncadas, yin, y las relaciones entre estas son lo que aporta significado a los trigramas, según el *I Ching,* el Libro de los Cambios.

El trigrama que representa la próxima generación es el Tui, y, según la Disposición del Cielo Posterior, está situado al oeste. Este es el rincón de cualquier casa o habitación que representa la suerte de los hijos. Si este rincón tiene buen feng shui, los hijos disfrutarán de una suerte excelente: serán bue-

El empleo del feng shui para activar la suerte de tus hijos producirá un ambiente feliz y creativo.

nos estudiantes, sacarán buenas notas, obtendrán títulos y harán bien todo lo que intenten. Si gozan de buenas cartas astrales, el buen feng shui también les ayudará a llegar muy alto en cualquier actividad.

No obstante, si este rincón tiene mal feng shui, predominará la mala suerte y a los padres les resultará difícil ayudar a sus hijos. Los hijos sufrirán todo tipo de

TUI

Este trigrama, compuesto de una línea yin truncada sobre dos líneas yang continuas, representa la alegría, la risa y las ocasiones de regocijo. El trigrama Tui implica el éxito y la continuidad del nombre de la familia. Entre las estaciones, representa el otoño, y su símbolo es el lago.

Tui significa, más que nada, oro, pero no es un oro corriente. La alusión es metafórica, pues en este caso el oro son los hijos virtuosos que aportan fama, honores y felicidad a la familia.

Se considera que los buenos hijos son tan preciosos como el oro. Cuando se activa el trigrama Tui, hay armonía en la familia. Los hermanos no riñen, y los jóvenes de la familia respetan a los mayores. Los maridos y las esposas se llevan bien, y en la casa hay un ambiente de serenidad.

El aspecto positivo de este trigrama indica también que las familias crecerán por el matrimonio o teniendo hijos.

desventuras, desde el fracaso escolar hasta las enfermedades constantes. Les resultará difícil, y a veces imposible, desarrollar plenamente sus capacidades, por mucho que se esfuercen.

Para aumentar al máximo la suerte de los hijos, el feng shui requiere un examen cuidadoso de este sector de la habitación o del hogar, y sobre todo del significado del trigrama Tui.

LOS PUNTOS CARDINALES Y LOS ELEMENTOS

LOS CICLOS DE LOS CINCO ELEMENTOS

La aplicación del análisis de los elementos a la práctica del feng shui requiere comprender la naturaleza de las relaciones mutuas entre estos. Según la teoría, existen dos ciclos que sirven de base a la interpretación de los elementos. Son el ciclo productivo y el ciclo destructivo. Los cinco elementos se interrelacionan entre sí y siguen un ciclo eterno positivo y otro negativo.

El rincón que se identifica universalmente con la suerte de los hijos es el oeste, cuyo elemento es el metal. No obstante, las escuelas de feng shui del norte de la China también consideran beneficioso para los hijos el rincón este, pues es el rincón de la suerte de la familia. El elemento del este es la madera.

LA SUERTE

Uno de los métodos para activar la suerte para los hijos de la familia requiere seguir los tres pasos siguientes:

▨ Identifica el rincón del hogar y las habitaciones de este que representan a los hijos.
▨ Comprueba cuál es el elemento correspondiente del rincón o rincones identificados.
▨ Activa el rincón, sirviéndote de los elementos como guía.

EL CICLO PRODUCTIVO

EL CICLO DESTRUCTIVO

Esta ilustración muestra el ciclo destructivo de los cinco elementos. El metal está dominado por el fuego, que es el elemento que destruye el metal. Esto significa que el metal, asociado a la suerte de los hijos, no se está reforzando.

EL METAL, ELEMENTO DEL OESTE

El elemento dominante del oeste es el metal, simbolizado por todas las cosas hechas de metal, sobre todo de oro. Entre estas se cuentan los carillones eólicos de metal, los electrodomésticos, los televisores y los relojes. La identificación del elemento relevante que se debe activar constituye una parte esencial de la aplicación del feng shui. Por ejemplo, un carillón eólico en la parte occidental del cuarto de estar activará unas oportunidades excelentes para los hijos de la familia.

Sabemos, a partir de estos atributos, que para reforzar el elemento del

METAL

El examen de los ciclos de elementos revela varias características del elemento metal.

- El metal es producido por la tierra; por ello se dice que la tierra es buena para el metal.
- El metal produce a su vez el agua; por ello se dice que el agua agota el metal.
- El metal es destruido por el fuego; por ello se dice que el fuego es dañino para el metal.
- El metal destruye la madera; por ello se dice que el metal domina a la madera.

oeste podemos servirnos de cualquier objeto que simbolice los elementos tierra o metal, pero que debemos evitar cualquier cosa que pertenezca al elemento fuego. Esto significa que el oeste se puede activar con cualquier objeto, color o pintura que sugiera la tierra o el metal. Los aparatos eléctricos hechos de metal y colocados en el rincón oeste de una habitación estarían bien armonizados. También es excelente poner carillones eólicos y campanillas, así como aparatos de televisión y equipos de música. También es propicio exhibir objetos que pertenecen al elemento tierra, tales como los cristales de roca, los tiestos de barro y las piedras.

EMPLEO DE OBJETOS DEL ELEMENTO METAL

SE dice que cargar de energía el oeste fomenta la fuerza vital que aporta a los hijos unos beneficios propicios. Poner objetos de metal en el lado oeste de cualquier habitación, o en la habitación que representa el rincón oeste de la casa, atrae el sheng chi beneficioso que asegura que los hijos obtendrán buenos resultados en sus estudios y en sus carreras profesionales. En términos de la práctica del feng shui, esto supone disponer los objetos y los aparatos domésticos de acuerdo con los principios del feng shui e incorporar a la decoración de la habitación los atributos y los símbolos del elemento metal.

Ten expuesta la plata de la familia en un aparador con puertas de cristal dispuesto junto a la pared oeste del cuarto de estar, pon allí el televisor o el equipo de música o pon en esa pared un reloj. Puedes poner tu ordenador en el rincón oeste del cuarto de estudio. Procura que la pared que represente esta orientación este pintada de blanco, pues éste es el color que simboliza el metal.

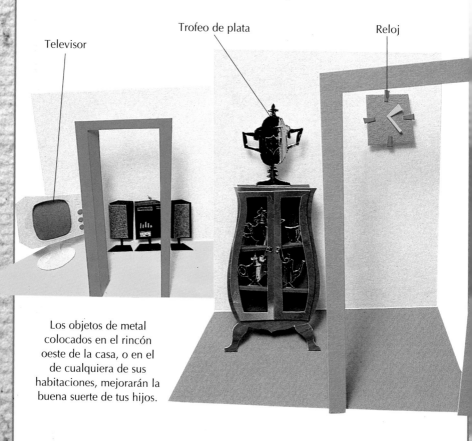

Televisor

Trofeo de plata

Reloj

Los objetos de metal colocados en el rincón oeste de la casa, o en el de cualquiera de sus habitaciones, mejorarán la buena suerte de tus hijos.

EMPLEO DE OBJETOS CON SIGNIFICADO ADICIONAL DE FENG SHUI

El sonido de las campanas atrae el buen sheng chi y activa la suerte de tus hijos.

EXISTEN otros objetos que tienen mayor significado de feng shui. Es posible que uno de los elementos más eficientes para cargar de energía el feng shui sea el carillón eólico hecho de metal. Otro objeto favorito de buena suerte es la campana, que se considera muy adecuada para activar la suerte de los hijos. Los chinos ponen campanas de dragón en el lado oeste de sus habitaciones para llamar a comer a la familia. También se considera que las campanas dan buen feng shui porque su sonido atrae el buen sheng chi. Cualquier clase de campana es aceptable, pero es buena idea buscar las decorativas de bronce, que emiten unos sonidos atractivos que aportan buen feng shui. Las campanillas son también excelentes para cargar de energía cuando se cuelgan de las manillas de las puertas principales. También se cree que esto fomenta la suerte en los negocios.

EL CARILLÓN EÓLICO

Se afirma que el carillón, hecho de varias varillas huecas suspendidas juntas, es muy eficaz para canalizar hacia arriba el sheng chi. Se dice que los sonidos tintineantes de las varillas al agitarse al viento fomentan la acumulación y el asentamiento de la fuerza vital propicia, trayendo buena suerte a la casa. Los carillones eólicos de varillas no huecas son ineficaces como cargadores de energía de feng shui. En las casas chinas son muy populares los carillones eólicos hechos de cobre y con forma de pagoda y de estrellas, pues los chinos creen también que el carillón eólico, por sí mismo, es un objeto propicio si se tiene en la casa. Pon el carillón al oeste para crear buena suerte para los niños, pero no abuses. Basta con un solo carillón.

EL ELEMENTO MADERA DEL ESTE

El elemento simbólico del este es la madera, y su mejor representación son las plantas y las flores vivas. Dado que el este se considera como el rincón que afecta a la suerte de la familia, activar las paredes y los rincones que están al este, e incluso la parte este del tejado, atraerá a la casa un sheng chi precioso, del que aporta felicidad y suerte a los hijos de la familia. El éxito y el bienestar de estos mejorarán enormemente, y habrá más respeto hacia los padres por parte de los hijos, y mejor comunicación entre todos.

Al cargar de energía la madera, deberás considerar los atributos de este elemento en relación con los demás:

- El agua produce la madera; por ello, se dice que el agua es buena para la madera.
- La madera produce a su vez el fuego; por ello, se dice que el fuego la agota.
- La madera es destruida por el metal; por ello, se dice que el metal es dañino para la madera.
- La madera destruye la tierra; por ello, se dice que la madera domina a la tierra.

Estas relaciones indican que el este se puede cargar de energía, en la práctica, por medio de objetos que pertenezcan al elemento madera o al elemento agua. También nos indica que colocar al este objetos del elemento metal, tales como los televisores o los ordenadores, o incluso los carillones eólicos, destruirá las fuerzas intrínsecas de ese rincón con unos resultados desastrosos.

LOS CACTOS Y LOS BONS

Deben evitarse los cactos y los bonsáis. Por muy atractivos que parezcan, no caigas en la tentación de tenerlos en tu casa, ni mucho menos en el rincón este.

Es una idea excelente combinar los elementos madera y agua. Expón un cuenco de lirios acuáticos o pon flores recién cortadas en un jarrón. Las flores frescas tienen siempre un feng shui excelente, pues representan la vida y una energía yang maravillosa. Pero tíralas en cuanto se marchiten, o la energía se estancará.

Los cactos tienen espinas que emiten shar chi dañino, y los bonsáis representan el crecimiento atrofiado, que es un simbolismo indeseable, sobre todo para los niños.

CÓMO ACTIVAR LA MADERA DENTRO DE LA CASA

Esto se puede conseguir exhibiendo plantas de interior. Ponlas en los alféizares de las ventanas para que les dé el sol de la mañana, y procura que tengan un aspecto sano y lozano. Las plantas moribundas y enfermizas tienen mal feng shui, y deben ser eliminadas y sustituidas inmediatamente por otras sanas. Las plantas artificiales son aceptables, aunque son mejores las plantas vivas. Pero las plantas secas emiten demasiada energía yin y, por lo tanto, no representan buen feng shui.

Cuanto más sana y lozana parece la planta, mejor se considera el feng shui.

Las plantas que tienen hojas redondeadas y mucho follaje se consideran mejores que las que tienen hojas puntiagudas.

LOS COLORES Y LA DECORACIÓN INTERIOR

Los colores blancos y metálicos son los que se deben utilizar para los rincones oeste de las habitaciones. Los colores correctos refuerzan el elemento y producen un buen equilibrio de feng shui para el rincón, con lo que benefician al tipo de suerte que representa dicho rincón. Esta directriz se debe seguir sobre todo en el cuarto de estar o familiar, pues es el que más se utiliza.

Los tejidos de decoración, tales como los de las cortinas, las alfombras y las fundas de cojines, pueden ser de cualquier color menos el rojo, pues el rojo pertenece al elemento fuego, que destruye el metal.

AZULES Y VERDES PARA EL ESTE

La combinación de los elementos agua y madera sugiere los colores azules y verdes en todos sus matices. Utiliza tonos ligeros para las paredes, y da rienda suelta a tu imaginación con todos los tejidos de decoración. Los diseños florales son excelentes para los tapizados y las alfombras. Evita los colores metálicos, entre ellos el plata y el oro, pues el metal destruye la madera. Evita también los diseños geométricos con bordes agudos. Los ajedrezados y las franjas no representan un feng shui propicio. Los diseños más dañinos son los que tienen bordes puntiagudos.

Los colores metálicos plateado y dorado reforzarán la suerte de feng shui de los rincones oeste.

MOTIVOS Y DISEÑOS

Los papeles pintados, las cortinas, las alfombras y los tapizados pueden llevar diseños propicios que fomentan los rincones donde se colocan. Para el este, los diseños pueden contener motivos de agua, árboles, flores o incluso el dragón verde. En los rincones de metal, los motivos pueden contener oro o plata.

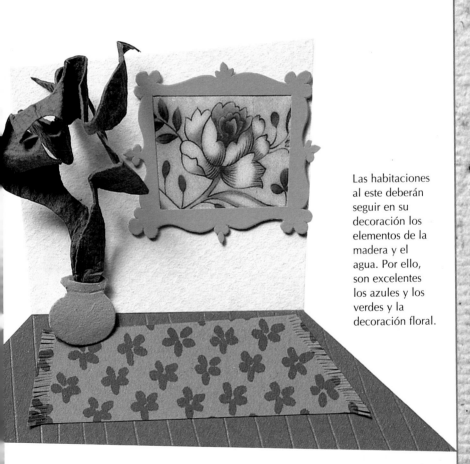

Las habitaciones al este deberán seguir en su decoración los elementos de la madera y el agua. Por ello, son excelentes los azules y los verdes y la decoración floral.

EL FENG SHUI DE LA BRÚJULA PARA LA SUERTE DE LA FAMILIA

LA FÓRMULA DE LA BRÚJULA

La orientación familiar propicia de la persona se llama orientación nien yen. Cuando conoces tu orientación personal nien yen, puedes aprovecharla para fomentar tu suerte de la familia por medio del feng shui. Puedes utilizarla con igual provecho en las diversas habitaciones de tu casa. Esto significa, esencialmente, dormir y sentarte en tu orientación propicia con el fin de atraer una suerte excelente en tus relaciones con todos los miembros de tu familia. Además de beneficiar a tu matrimonio y la felicidad de tu familia, esto fomenta tu suerte de los descendientes. Activar el nien yen de tus hijos les ayuda a centrarse.

EL CONCEPTO CHINO DE LA SUERTE DE LOS DESCENDIENTES

La suerte con los descendientes ha tenido siempre una importancia tan destacada entre los chinos, que el feng shui se fusionó poderosamente con las supersticiones en las incontables prácticas y creencias que abordan esta aspiración universal de las familias chinas. En la avenida de figuras de piedra que conduce a las tumbas de los emperadores Ming, en las afueras de Pekín, existen unas estatuas colosales y monolíticas que representan elefantes de pie y de rodillas, y que se creen que producen una suerte inmensa de los descendientes a las mujeres que no tienen hijas. Se creía que poner una piedra sobre el lomo de uno de estos elefantes garantizaba el nacimiento de un hijo varón. De hecho, en la cultura china las referencias a los hijos se limitaban casi exclusivamente a los hijos varones. Todavía en la China moderna se

Si tu número Kua es el:

1 grupo del este

2 grupo del oeste

3 grupo del este

4 grupo del este

5 grupo del oeste

6 grupo del oeste

7 grupo del oeste

8 grupo del oeste

9 grupo del este

reciben con mayor alegría los hijos que las hijas. Así pues, en los antiguos libros de texto de feng shui la suerte se solía describir en función del número de hijos varones que produciría una orientación determinada, y la mala suerte en función de la pérdida de hijos varones.

No obstante, la suerte de los descendientes propicia también significa que los hijos tendrán respeto a sus padres y que serán virtuosos y obedientes. Los cuentos tradicionales chinos están llenos de ejemplos de devoción, sentido del deber y obediencia filial. El buen feng shui puede contribuir a garantizar que las familias disfruten de esta misma clase de buena suerte.

...u orientación de la familia es:

...UR para hombres y mujeres

...NOROESTE para hombres y mujeres

...UDESTE para hombres y mujeres

...STE para hombres y mujeres

...NOROESTE para hombres, y
...ESTE para mujeres

...UDOESTE para hombres y mujeres

...NORDESTE para hombres y mujeres

...ESTE para hombres y mujeres

...NORTE para hombres y mujeres

LA FÓRMULA KUA

Calcula tu número Kua de la manera siguiente. Suma las dos últimas cifras de tu año de nacimiento chino; por ejemplo, **1957**, 5 + 7 = 12. Si la suma es mayor que diez, redúcela a una sola cifra. Así pues, **1 + 2 = 3**.

Hombres	**Mujeres**
Restar la cifra obtenida del	Sumar a la cifra obtenida
10	**5**
Así pues,	Así pues,
10 − 3	**5 + 3**
= 7	**= 8**
Por lo tanto, para los hombres nacidos en	Por lo tanto, para las mujeres nacidas en
1957	**1957**
el número Kua es el	el número Kua es el
7	**8**

A continuación, comprueba en la tabla adjunta tu orientación y situación personal de la familia.

MEJORAR LAS NOTAS ESCOLARES

Puede que la promesa más interesante del feng shui sea la posibilidad que ofrece de crear espacios vitales que animan y motivan a los niños a dar de sí lo mejor que tienen. Cuando los niños trabajan en un entorno equilibrado armoniosamente, su capacidad y su actitud para el estudio mejora notablemente.

LA ORIENTACIÓN PARA SENTAR AL NIÑO

Lo primero que debes hacer es colocar el pupitre o mesa de estudio de tal modo que tu hijo mire hacia su orientación de estudio mejor.

De este modo es casi seguro que mejorarán las notas, y la niña o el niño estará mucho más motivado y centrado en sus estudios. Este método se basa en la fórmula Kua de la brújula. Utiliza el año de nacimiento de tu hijo (ajustado al calendario chino)

y calcula su número Kua según la fórmula de la página 173;

a continuación, determina su mejor orientación de estudio a partir de la tabla de esta página. El niño deberá sentarse mirando hacia su orientación de estudio mejor siempre que estudie. Así mejorará su capacidad de aprendizaje y su memoria, pues las energías que lo rodean serán armoniosas y propicias.

Si tu número Kua es el:	Tu orientación Fu Wei es:
1	**NORTE** para hombres y mujeres
2	**SUDOESTE** para hombres y mujeres
3	**ESTE** para hombres y mujeres
4	**SUDESTE** para hombres y mujeres
5	**SUDOESTE** para hombres, y **NORDESTE** para mujeres
6	**NOROESTE** para hombres y mujeres
7	**OESTE** para hombres y mujeres
8	**NORDESTE** para hombres y mujeres
9	**SUR** para hombres y mujeres

No permitas que tu hijo se siente debajo de un retrete del piso superior. Asegúrate de que no apunta a la silla donde estudia tu hijo nada agudo ni puntiagudo, como puede ser el borde de un armario o una esquina que asoma. Esto produce shar chi que daña al niño. Asegúrate también de que no hay vigas ni bordes agudos en el techo.

El niño debe sentarse con la cara dirigida hacia la mejor orientación de estudio, y con un apoyo sólido detrás de él. Es excelente un cuadro que represente una montaña.
No coloques la mesa de estudio de tal modo que tenga una ventana directamente detrás: esto simboliza una falta de apoyo.

Este método de la orientación propicia se puede aplicar en otras situaciones. Haz que tu hijo mire hacia esa dirección cuando haga los deberes, cuando haga un examen, en clase, o cuando estudia, si es posible. Pero es importante tener en cuenta que la suerte de la buena orientación no protege del shar chi que provocan las vigas, los pilares y los bordes agu-

dos; por ello, debes procurar evitar siempre estas estructuras.

Por último, esta orientación se puede activar también a las horas de las comidas. Asigna los asientos en la mesa de la familia de acuerdo con las respectivas direcciones propicias de cada uno de los hijos de la familia.

LA ARMONÍA ENTRE LOS HERMANOS

LA DISTRIBUCIÓN DE LAS HABITACIONES

La distribución relativa de las habitaciones y el modo en que las puertas miran las unas a las otras tiene consecuencias de feng shui. Si están bien distribuidas, los hermanos se llevarán bien y reinará la buena voluntad entre ellos. Cuando estos factores tienen defectos de feng shui, será mucho más probable que prevalezcan las discusiones y los malos entendidos.

Un dormitorio que está junto a un retrete no es propicio casi nunca.

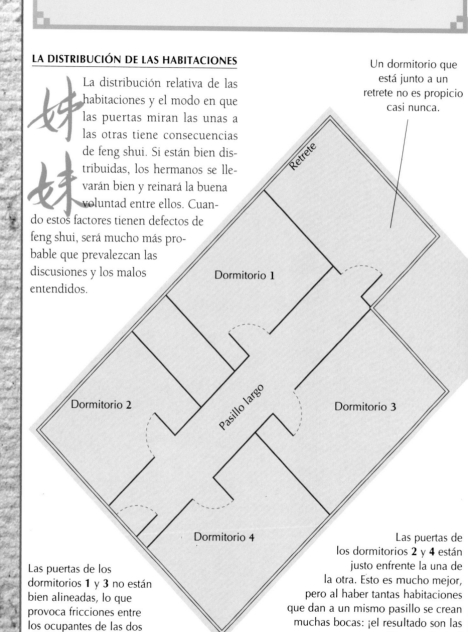

Retrete

Dormitorio 1

Dormitorio 2

Pasillo largo

Dormitorio 3

Dormitorio 4

Las puertas de los dormitorios **1** y **3** no están bien alineadas, lo que provoca fricciones entre los ocupantes de las dos habitaciones.

Las puertas de los dormitorios **2** y **4** están justo enfrente la una de la otra. Esto es mucho mejor, pero al haber tantas habitaciones que dan a un mismo pasillo se crean muchas bocas: ¡el resultado son las riñas constantes!

OTRAS DISTRIBUCIONES DESAFORTUNADAS

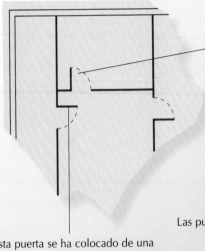

Esta puerta tiene las bisagras de un modo tal que produce problemas de feng shui. Cambia de lado las bisagras: de lo contrario, la persona que ocupe este cuarto no podrá llevarse bien con el resto de la casa.

Las puertas deben ser de un mismo tamaño.

Esta puerta se ha colocado de una manera muy inconveniente. Se abre hacia fuera en vez de hacia dentro. Esto indica que el ocupante de la habitación no se puede quedar en casa y no se puede llevar bien con sus hermanos. También bloquea la otra puerta, afectando así al feng shui del ocupante de la otra habitación.

EL TAMAÑO DE LAS CAMAS

Aunque parezca raro, hay muchos padres que permiten que sus hijos duerman en camas demasiado grandes o demasiado pequeñas para ellos. Los niños altos que duermen en camas demasiado cortas sufrirán enfermedades constantes. Las diferencias de tamaño en las camas de los niños provocarán resentimientos ocultos y celos entre los hermanos. Pon camas proporcionadas al físico de tus hijos y que les dejen sitio para crecer.

EL TAMAÑO DE LAS PUERTAS

Las puertas contiguas o próximas entre sí deberán tener unas mismas dimensiones. Si una es mayor o más alta, el ocupante de la habitación que tiene la puerta mayor tenderá a dominar o abusar del que reside en la otra habitación.

MANTENER EL EQUILIBRIO DEL YIN Y EL YANG EN LAS HABITACIONES

Otra de las dimensiones del feng shui es la necesidad de mantener el equilibrio del yin y el yang. Éstas son las dos fuerzas primordiales, opuestas pero complementarias. Sólo puede existir buen feng shui cuando las dos fuerzas mantienen un equilibrio correcto.

Para comprender el equilibrio del yin y el yang es importante darse cuenta de que el uno hace existir al otro. Así, el yin es la oscuridad, la noche, el frío, el silencio y la quietud. El yang, por su parte, es la luz, el día, el calor, los sonidos y la actividad. Así pues, sin frío no hay calor y sin día no puede haber noche. Otro atributo de la cosmología del yin y el yang es que la una contiene la semilla de la otra. Así pues, en el yang debe existir siempre algo de yin y viceversa.

En el feng shui, el equilibrio del yin y el yang requiere la presencia de ambas fuerzas, pero dado que cuando hablamos del buen feng shui estamos tratando de la vida y de la energía, el entorno no debe ser nunca demasiado yin. Esto provoca aletargamiento e incluso la muerte, pero es necesario no renunciar al yin por completo. Hace falta mucho cuidado y previsión para mantener un buen equilibrio entre las dos fuerzas del feng shui.

Las orientaciones principales de la casa que afectan a la suerte de los hijos son el este y el oeste. Asegúrate de que el espacio que representa estas dos direcciones no esté nunca demasiado yin, pues la suerte de los niños necesita de la energía, la luz y la vida del yang.

Fuera de la casa, esto sucede cuando se permite que los árboles crezcan dema-

Este lado de la casa está completamente dominado. Hay una cerca alta que rodea la casa, el alero de un tejado que hace sombra, y unos árboles de ramas espesas. ¡Retira o baja la cerca y aclara los árboles para que entre la luz del sol!

Una habitación alegre y luminosa atraerá energías positivas y ayudará a tus hijos a crecer y a desarrollarse.

siado, llegando a bloquear por completo la luz del sol. Cuando no hay luz del sol, el entorno se vuelve malsano. Si el follaje de los árboles produce sombra y oscuridad excesivas, la situación se ha vuelto decididamente demasiado yin, hasta tal punto que puede resultar dañina. Poda los árboles, y, si hay demasiados, aclálalos cortando algunos. Así se deja pasar la luz del sol. No permitas nunca que los árboles que están ante las ventanas de las habitaciones de tus hijos cierren el paso por completo a la luz del sol. Esto provoca enfermedades y, lo que es peor, aletargamientos y depresiones.

Dentro de la casa, el espacio se vuelve demasiado yin cuando las habitaciones son húmedas y frías. Esto suele suceder cuando no se mantienen en buenas condiciones los cuartos trasteros o las habitaciones desocupadas. No permitas nunca que las habitaciones pasen largas temporadas a oscuras, frías y húmedas. Esto no da nunca buen feng

shui a la casa, y los primeros afectados suelen ser los hijos de la familia.

Las habitaciones de los niños deben tener una buena cantidad de energía yang. Esta es propicia para el crecimiento y el desarrollo sano. Pinta la habitación con colores alegres y vivos. Instala un equipo de música o cuelga campanillas que produzcan sonidos tintineantes.

No pongas fotos ni dibujos que representen caras hostiles ni animales feroces. Se considera que el espíritu del depredador es muy real cuando están presentes los símbolos que lo representan; por ello, debes evitar los animales tales como los tigres, los leopardos y los leones. Debe temerse sobre todo el tigre. El feng shui advierte siempre que no se deben poner imágenes suyas dentro de la casa. Son excelentes para ponerlas fuera de la casa, pero hay muy pocas personas capaces de meter al tigre en la casa.

Deja fuera de la casa las imágenes de los tigres y de otros animales feroces.

~179~

ELEMENTOS QUE HACEN DAÑO A LOS HIJOS

MUCHAS personas, en su impaciencia por practicar el feng shui, no comprenden que es muy fácil cometer errores pequeños que tienen consecuencias de primer orden, y que muchas veces estas consecuencias no salen a relucir inmediatamente. Aunque es bien sabido que el agua aporta buen feng shui de la riqueza, uno de los grandes peligros de activarla en la casa, por ejemplo, es cuando está situada bajo una escalera. Esta es una de las grandes prohibiciones del feng shui. No coloques jamás ningún elemento de agua de cualquier clase (una cascada, una fuente o un estanque con peces) bajo la escalera de la casa. Así se destruye la suerte de la segunda generación. El agua bajo la escalera acarrea consecuencias trágicas a los hijos de la familia.

Un elemento de agua debajo de la escalera afecta a los hijos de la familia. Si quieres decorar esa zona, pon allí algo sólido. Eso da solidez a la casa.

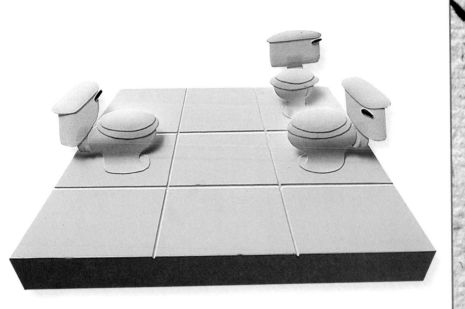

La posición de los retretes puede afectar
a las perspectivas futuras de los hijos de la casa.

LOS RETRETES MAL SITUADOS

SI el retrete está al sudoeste, bloquea gravemente las oportunidades matrimoniales de la generación siguiente. A los miembros de la generación joven les resultará difícil encontrar compañeros para toda la vida. Si el retrete lo utilizan las visitas, el efecto es más grave todavía, y bien puede suceder que las muchachas de la familia se queden solteronas. Este elemento también tiene consecuencias muy dañinas sobre el matrimonio de la generación mayor.

Un retrete al oeste, que es un punto cardinal del elemento metal, acarrea a tus hijos mala suerte en general. Éste es el rincón que representa la suerte de los hijos. Hacer correr el agua resulta especialmente dañino en esta orientación, pues el metal produce el agua: el elemento metal se agotará gravemente.

La presencia de un retrete al este estropea la suerte de los hijos de la familia, sobre todo del mayor. En este rincón, que es del elemento madera, el efecto de hacer correr el agua es peor todavía que al oeste, pues el agua produce la madera. Es como despojar de su sustento al elemento madera. Los chicos de la familia se hacen daño, y también se resiente la salud de toda la familia.

La mejor manera de resolver un retrete que está mal situado es tenerlo cerrado. Mejor todavía: pon algún tipo de división que impida ver el retrete. Son muy recomendables los retretes pequeños. Antiguamente, las casas chinas no tenían retrete. Esto se debe a que afectan a la suerte de algún tipo, estén donde estén.

Los fundamentos
del feng shui

La formación

LOS SÍMBOLOS PRINCIPALES DEL ÉXITO EN LA FORMACIÓN

KEN

El trigrama que simboliza el conocimiento y la educación es el Ken, que representa principalmente el final del invierno o el principio de la primavera. El Ken sugiere también la contemplación, la meditación y el desarrollo de la mente.

Cuando las energías del interior del hogar o de la habitación son armónicas en los rincones que representa este trigrama, se puede activar una suerte excelente de los estudios.

LA ORIENTACIÓN NORDESTE

Según la Disposición del Cielo Posterior de los trigramas que rodean el Pa Kua, la dirección de la brújula que representa al trigrama Ken es el nordeste. Así pues, para activar la suerte en la educación y en los estudios, es necesario cargar de energía el nordeste. Lo primero que se debe observar es si la casa tiene una verdadera esquina nordeste. Cuando las casas tienen forma de L o de U, parece que les faltan determinadas esquinas, y si resulta que la que falta es la nordeste, entonces el feng shui da a entender que la casa carece, en general, de suerte de los estudios. Si bien esto puede ser desafortunado, no es motivo para alarmarse.

Delimita el rincón nordeste utilizando una brújula. En este ejemplo, el nordeste está señalado en amarillo según la indicación de la brújula. Este será el rincón del dormitorio que habrá que activar.

Ve al dormitorio de la persona cuya suerte de los estudios debe activarse. Normalmente, se tratará del dormitorio de un niño o de un joven que todavía es estudiante. También se pueden activar otras habitaciones que son utilizadas por toda la familia. Si quieres que tu hijo se beneficie de la suerte de los estudios, lo primero que debes hacer es situarte en el centro de su dormitorio y localizar el rincón nordeste. Utiliza el cuadrado Lo Shu como guía. Distribuye el dormitorio en nueve espacios iguales. No es necesario que el dormitorio sea cuadrado. En estas páginas mostramos dos ejemplos del modo de hacerlo.

Esta es una habitación de forma irregular, en la que falta el sudoeste y falta también en parte el sur. Si faltara el rincón nordeste, supondría una falta de suerte de los estudios para el ocupante de la habitación. El rincón que se debe activar (el nordeste) está señalado en amarillo. Observa el método para demarcar la habitación en nueve sectores.

EL ELEMENTO TIERRA

EL elemento del nordeste es la tierra. Se deduce del trigrama Ken, que significa «montaña». Así, el elemento al que se refiere el nordeste es la tierra pequeña, y para activar este rincón se puede utilizar cualquier cosa que simbolice la tierra. Al mismo tiempo, hemos visto a partir de los ciclos de los elementos (ver páginas 24-25) que el fuego produce la tierra. Esto significa que también se puede utilizar para cargar de energía el nordeste cualquier cosa que simbolice el fuego. La tierra produce el metal, y esto significa que el metal agota la tierra. Por lo tanto, el metal no sería un buen elemento para cargar de energía este rincón. No es recomendable colocar en el rincón nordeste nada que esté hecho de metal, entre lo cual se cuentan los carillones eólicos y las campanas. Por último, tampoco debe colocarse aquí nada que pertenezca al elemento madera, pues la madera destruye la tierra. Esto significa que las plantas y las flores colocadas al nordeste echarán a perder tu suerte de los estudios.

CARGAR DE ENERGÍA EL NORDESTE CON OBJETOS DEL ELEMENTO TIERRA

La mejor manera de cargar de energía una suerte excelente de los estudios para los estudiantes de la familia es centrarse en cargar de energía el rincón nordeste de sus habitaciones con la terapia feng shui de los elementos. Dado que el elemento de este rincón es la tierra, exponer objetos de tierra aumentaría eficientemente el chi para beneficiarlos en sus estudios.

Pon la mesa de estudio en el nordeste de la habitación y pon sobre ella un cristal. Puede tratarse de un cristal de cuarzo natural o de un pisapapeles de cristal al plomo, hecho a mano. Se cree que los cristales de roca naturales tienen grandes poderes de retención. Al estudiar teniendo cerca el cristal se capta la suerte feng shui de la tierra, y el propio cristal contribuirá al estudio eficaz.

También puedes calcular la mejor orientación personal de tus hijos para el estudio (ver páginas 192-193). Con esta información podrás disponer la mesa de estudio del niño o del estudiante para que esté mirando hacia la orientación ideal.

LOS CRISTALES

Pon la mesa de estudio en el rincón nordeste de la habitación, y pon un cristal en el lado nordeste de la mesa.

Un cristal natural de cuarzo es el compañero ideal de todo estudiante que desee activar el elemento tierra para el buen feng shui. Estos cristales salen de muy dentro de la corteza de la tierra y son unas fuentes excelentes de suerte de la tierra. Se pueden comprar en muchos museos o en tiendas especializadas, y suelen ser bastante económicos.

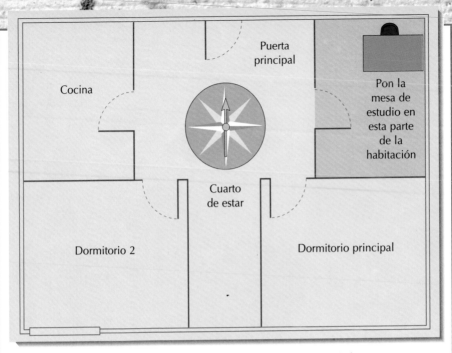

Cocina

Puerta
principal

Pon la
mesa de
estudio en
esta parte
de la
habitación

Cuarto
de estar

Dormitorio 2

Dormitorio principal

La habitación de la esquina, al estar al nordeste, es una de las más
adecuadas para los estudiantes, dado que esta orientación simboliza
la suerte en los estudios y en el conocimiento.

EMPLEO DE OTROS OBJETOS

También es excelente poner en el nordeste
una urna decorativa hecha de barro o de
cerámica de cualquier tipo. Puede tratarse del
nordeste del jardín, en el de toda la casa o en
el del dormitorio. Ten vacía la urna para que
pueda acumularse y establecerse el chi
de la buena suerte. Recuerda que este
es el rincón de la tierra pequeña, por
lo cual no es necesario poner una
urna demasiado grande.

Las bolas de vidrio tallado o de cristal
de roca también son unas activadoras
excelentes cuando se suspenden al
nordeste, sobre todo si hay una ventana
y las facetas de la bola reflejan la luz
del sol de la mañana. Esto produce una
energía yang maravillosa para la habitación,
y es especialmente propicio.

LAS LUCES Y LAS LÁMPARAS

UNA lámpara de estudio produce un feng shui excelente, pero es recomendable seleccionarla cuidadosamente. Procura evitar las lámparas de diseños ultramodernos que tienen un aspecto amenazador, por ejemplo, las que tienen puntas o las que tienen una forma hostil. Es mucho mejor elegir una lámpara redonda que una angulosa. No utilices focos, pues la energía yang se vuelve así demasiado fuerte. Lo único que te hace falta es una lámpara sencilla, de pie, de mesa o colgada del techo.

LAS ARAÑAS DE CRISTAL

SI te lo puedes permitir, es posible que la mejor manera de cargar de energía el nordeste o cualquier otro rincón de tierra del hogar (el sudoeste o el centro de la casa) es suspender allí una hermosa araña de cristal, pues en esta se combinan los elementos de la tierra y el fuego. Las arañas con piezas de cristal colgantes atraen también el sheng chi al interior de la casa cuando se cuelgan en el zaguán de entrada, justo delante de la puerta principal. Si no te puedes permitir una araña de cristal, busca algo más barato con que sustituirla. El vidrio es tan eficaz como el cristal natural, pues también pertenece al elemento tierra.

Los accesorios y elementos de decoración rojos son muy eficaces como complemento a la tierra, pues el color rojo simboliza el elemento fuego.

EL COLOR ROJO

Esta es una manera excelente de complementar la tierra con el fuego. Utiliza el rojo en las cortinas, en los cojines o en las alfombras, pero no exageres nunca pintando de rojo paredes enteras, pues eso dominaría la habitación. En el feng shui vale más la moderación que el exceso, pues el equilibrio es esencial. Si se abusa del símbolo del fuego, se volverá peligroso y te quemará. De hecho, lo mismo puede decirse de cada uno de los cinco elementos.

LOS MOTIVOS DE LOS DISEÑOS

Existen tantos diseños y motivos que pueden simbolizar el elemento fuego que tú puedes aplicar tu creatividad cuanto quieras. Serían adecuados los diseños en los que figura el sol, o los que tienen los colores rojo y amarillo. También en esto, procura que impere el equilibrio y, en caso de duda, opta por la moderación más que por el exceso.

REFORZAR EL ELEMENTO TIERRA CON OBJETOS DE FUEGO

Dado que, en el ciclo de las relaciones de los elementos, el fuego produce tierra, cualquier clase de fuego simbólico reforzará el elemento tierra, produciendo exactamente el flujo propicio de energía que se requiere. El elemento fuego está simbolizado por las luces de todo tipo, por los motivos solares y por el color rojo. Estos son los símbolos más comunes, y es facilísimo incorporarlos en la decoración de cualquier habitación.

CARGAR DE ENERGÍA CON OTROS SÍMBOLOS DEL ÉXITO EN LOS ESTUDIOS

EL feng shui tiene mucho de simbólico: por eso tienen los chinos tantas figuras y dioses en los que se encarnan diversos aspectos de las aspiraciones humanas. Hay dioses de la riqueza y de la longevidad, y símbolos de la fertilidad y de la pureza, del amor constante y del logro de la riqueza y del poder. Y, como cabría esperar, el feng shui también tiene símbolos de los altos logros en los estudios.

Los practicantes del feng shui pueden optar por usar los símbolos chinos o pueden utilizar con el mismo éxito otros símbolos que representen poderosamente para ellos el éxito en los estudios. En este sentido, puede ser muy eficaz poner fotos y escudos de universidades en la pared de la educación (la pared nordeste). También lo es exhibir los diplomas, títulos o premios que pongan de manifiesto los logros de tus padres. Así se atrae el chi del conocimiento hacia una casa que demuestra lo mucho que respeta la educación. De este modo, quedará garantizado que el éxito de los padres se repetirá en la próxima generación.

EL ELEFANTE BLANCO

ESTE es uno de los grandes tesoros del budismo, y en Tailandia el elefante se considera un animal sagrado. Es símbolo de fuerza, de prudencia y de sagacidad. Cuando se expone en el hogar, su significado para el feng shui casi equivale a la creencia supersticiosa de que ayuda a los hijos de la familia a obtener el reconocimiento por medio de la constancia y de la prudencia. Esta creencia está muy extendida en Vietnam y en Camboya, donde los elefantes blancos de cerámica son un elemento popular en la mayoría de los hogares. Ponlos en parejas, junto a la puerta de entrada, por la parte exterior.

El elefante blanco encarna las virtudes de la fuerza, la prudencia y la sagacidad. Este símbolo poderoso se encuentra en muchos hogares orientales.

LA CARPA DRAGÓN

LOS CUATRO TESOROS PRECIOSOS

Los cuatro tesoros, también llamados «las gemas preciosas del apartamento literario», son la tinta, el papel, el pincel de escribir y la barra de tinta. Cuando estaban presentes en la casa estos artículos, indicaban la presencia de un hombre culto. Así, en las antiguas mansiones de los mandarines chinos, siempre se exhibían con mucho cuidado, y en muchos casos eran de la mejor calidad.

La tinta china se solía guardar en forma sólida, de ahí la barra de tinta. El papel solía fabricarse a partir de la mejor paja de arroz, mientras que el pincel de escribir era de pelo de marta, de zorro o de conejo con mango de bambú. Se cree que si exhibes estos cuatro artículos en tu casa, al menos uno de tus hijos alcanzará los mayores logros en los estudios.

Los chinos consideran que este es el símbolo más poderoso del éxito en los estudios y en la carrera profesional. El símbolo representa a una criatura con cola de carpa y cabeza de dragón, que simboliza que la humilde carpa se transforma en dragón. Las carpas dragones, que pueden ser de cerámica o de madera, se suelen exhibir en parejas puestas a los dos lados, por encima de la entrada de la casa. ¡Esto simboliza que cada vez que los habitantes salen de la casa para enfrentarse al mundo se convierten en dragones sabios y valientes! Por eso, la carpa dragón que atraviesa la Puerta del Dragón también es un símbolo muy popular para activar la suerte de la carrera profesional.

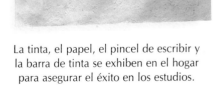

La tinta, el papel, el pincel de escribir y la barra de tinta se exhiben en el hogar para asegurar el éxito en los estudios.

~191~

ORIENTACIONES PERSONALES PARA EL ESTUDIO

LA FÓRMULA DE LA BRÚJULA

Según el feng shui, cada persona tiene cuatro orientaciones afortunadas y cuatro desafortunadas, que dependen de si es una persona del grupo del este o del oeste. El grupo al que perteneces viene determinado por tu año de nacimiento y por tu sexo. Cuando conoces la orientación personal Fu Wei propicia de tu hijo o hija, puedes aprovechar la información de muchas maneras diferentes que mejorarán mucho su suerte personal del feng shui.

Se puede utilizar con igual éxito en las diversas habitaciones de la casa, en el aula, en la escuela y en la universidad. Utilizar la orientación supone que la persona duerma y se siente con una orientación tal que le permite captar su Fu Wei. Conseguir captarlo conduce a grandes éxitos en cualquier actividad que exija el cultivo del intelecto y el desarrollo de una habilidad o de una profesión. Aporta el reconocimiento, el logro y el éxito a las personas que trabajan de verdad por alcanzar ese éxito. La orientación Fu Wei imparte una suerte preciosa del feng shui, que allana considerablemente el camino que conduce al éxito. Tu hijo se sentirá cargado de energía y muy motivado, y los profesores se fijarán en él.

Esta fórmula es ideal, por lo tanto, para los que quieren convertirse en estudiantes de sobresaliente y para los que ambicionan ascender a la cúspide de su profesión. No sirve tanto para aumentar los ingresos como para el crecimiento y el desarrollo

Si tu número Kua es el:

1	grupo del este
2	grupo del oeste
3	grupo del este
4	grupo del este
5	grupo del oeste
6	grupo del oeste
7	grupo del oeste
8	grupo del oeste
9	grupo del este

personal, aunque este tipo de suerte trae consigo implícitamente la promesa de grandes éxitos en el futuro.

EL YIN Y EL YANG PARA LOS NIÑOS QUE ESTÁN CRECIENDO

PARA que las habitaciones y las casas disfruten de un buen feng shui, deberán tener una combinación o equilibrio de yin y yang. Un exceso de yin sugiere quietud, estancamiento, e incluso la muerte, mientras que un exceso de yang sugiere hiperactividad.

Los niños que están creciendo necesitan energía yang, pero también necesitan

Tu orientación Fu Wei es:

NORTE para hombres y mujeres

SUDOESTE para hombres y mujeres

ESTE para hombres y mujeres

SUDESTE para hombres y mujeres

SUDOESTE para hombres, y NORDESTE para mujeres

NOROESTE para hombres y mujeres

OESTE para hombres y mujeres

NORDESTE para hombres y mujeres

SUR para hombres y mujeres

LA FÓRMULA KUA

Para determinar tu orientación, determina primero tu número Kua.

- Obtén tu año chino de nacimiento según el calendario de las páginas 30-31, y utiliza esta cifra para calcular tu número Kua.
- Suma las dos últimas cifras de tu año chino de nacimiento, por ejemplo, **1948, 4 + 8 = 12**.
- Si la suma es mayor que diez, redúcela a una sola cifra, así, **1 + 2 = 3**.

Hombres: Resta el número obtenido de **10**, así, **10 − 3 = 7**.
Por tanto, para los hombres nacidos en **1948**, el número Kua es el **7**.

Mujeres: Suma **5** al número obtenido, así, **3 + 5 = 8**.
Por tanto, para las mujeres nacidas en **1948**, el número Kua es el **8**.

A continuación, comprueba en la tabla adjunta tu orientación y situación Fu Wei.

El número 5 no se utiliza en esta fórmula, aunque lo incluimos en la tabla para mayor claridad. Las mujeres deben usar el 8 en vez del 5, los hombres el 2.

energía yin cuando duermen. Por tanto, sus habitaciones deben ser fundamentalmente luminosas, aireadas y llenas de vida. Esto se puede conseguir por medio de los sonidos (un equipo de música) y de una decoración con colores vivos (cortinas, alfombras, colchas), o de cuadros y fotos que muestren vida; pero, naturalmente, no conviene abusar de esto.

CÓMO ACTIVAR LA ORIENTACIÓN FU WEI

Cuando conoces la orientación personal Fu Wei de tu hijo o hija y has distribuido la planta de tu casa según el cuadrado Lo Shu, tienes varios medios para empezar a emparejar sus energías chi humanas con las del espacio que lo rodea. La orientación Fu Wei se puede activar para atraer el sheng chi propicio para el beneficio personal.

Comprueba en la tabla de la página 193 la orientación Fu Wei basada en su número Kua personal. Este es también el punto de la brújula más afortunado para situar en él el dormitorio de tu hijo. El captar el Fu Wei permite a tu hijo dormir, comer y estudiar bien, sin sucumbir a la tensión ni al agotamiento del estudio o de los exámenes. El hecho de incorporar esta fórmula en su feng shui personal constituye también una protección muy eficaz contra el descuido, la mala salud y la pereza.

El modo ideal de captar la buena suerte del estudio con este método consistiría en intentar orientar las puertas más importantes de la casa en función del Fu Wei de tu hijo, pero esto no resulta practicable. Ni tampoco es muy prudente: también se debe tener presentes a los demás miembros de la familia y se debe tener en cuenta la suerte general de la familia. Deja la orientación de la puerta principal de acceso a la casa para otras consideraciones de feng shui que benefician a todos los miembros de la familia, sobre todo al cabeza de familia o a la persona que gana el pan de la casa.

En vez de ello, concéntrate en utilizar la

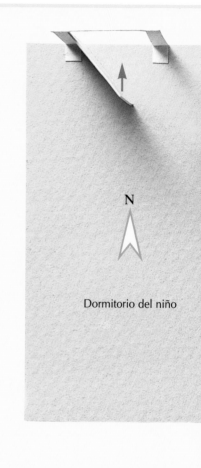

N

Dormitorio del niño

orientación Fu Wei de tu hijo o hija en su habitación. La orientación hacia donde mira tu hijo cuando duerme, cuando está sentado y cuando estudia deberá coincidir con su orientación propicia personal. Esto supone tener en cuenta los siguientes factores:

lesa de
studio

Cama

Las flechas indican cómo se deben aplicar las orientaciones para dormir y para estudiar. Observa que, para dormir, lo fundamental es hacia donde apunta la cabeza, y para sentarse a trabajar lo que importa es hacia donde mira la cara. En este ejemplo, hasta la puerta del dormitorio está dirigida hacia la orientación Fu Wei; esto es excelente, pero no siempre es posible conseguir que todo esté bien. ¡Tener bien dos cosas de tres no está mal!

LA ORIENTACIÓN FU WEI EN LA PRÁCTICA

Por ejemplo, si la orientación Fu Wei de tu hijo es el norte, he aquí cómo debe dormir y estudiar.

- La puerta de su dormitorio.
- La colocación de su cama para acceder a la orientación mejor para dormir.
- La colocación de la mesa de estudio para acceder a la orientación mejor para estudiar.

EN EL JARDÍN

Amplía al jardín la teoría de los elementos. Instala en el rincón nordeste del jardín una luz alta para activar la suerte de los estudios para tus hijos. Repite también esta luz de jardín en el sur, que representa la suerte del reconocimiento. Con esto se atrae la suerte del éxito en los exámenes, y resultará útil cuando tus hijos aspiren a cosas tales como

becas y ayudas para el estudio. Hazlo en una época temprana de los estudios de tu hijo y deja que su efecto se vaya apreciando gradualmente a lo largo de los años.

CÓMO ACTIVAR EL FU WEI EN LA ESCUELA Y EN LA UNIVERSIDAD

La orientación propicia se puede aplicar a lo largo de toda la vida. Lleva encima a todas partes una brújula pequeña y adquiere la costumbre de orientarte siempre. Esto te facilitará identificar tu orientación óptima para la educación cada vez que te sientes a examinarte. Si te es posible, elige un pupitre de la clase que sea propicio para ti.

En la universidad, cambia la posición de la mesa de estudio y de la cama de tu habitación para acceder a este método poderoso del feng shui. Aunque no hagas más que protegerte del aliento mortífero del feng shui, tu duro trabajo recibirá una buena recompensa en forma de grandes éxitos académicos.

Una brújula de bolsillo sencilla, como las que utilizan los Boy Scouts, es un instrumento precioso para mejorar tu suerte en los estudios.

EL FENG SHUI DURANTE LOS EXÁMENES Y LAS ENTREVISTAS DE TRABAJO

EL método de la orientación propicia puede y debe activarse en otras situaciones. Siempre que sea posible, haz que tu hijo mire hacia esa orientación:

- ▨ Cuando haga los deberes o cuando estudie.
- ▨ Cuando se esté examinando.
- ▨ Cuando asista a clases o a conferencias.
- ▨ Cuando asista a entrevistas de trabajo.

COSAS QUE CONVIENE TENER EN CUENTA

ES importante recordar que la suerte de la buena orientación no representa por sí misma ninguna protección contra el shar chi provocado por las vigas, los pilares y los bordes agudos. Estos elementos estructurales están presentes en todos los edificios, y es importante adquirir la costumbre de observar siempre dónde están para poder evitarlos.

MIRANDO POR LA VENTANA

Si la mesa de estudio está situada de tal modo que el niño mira por la ventana y ve directamente una carretera que viene hacia él, un árbol muerto o el borde de un edificio grande, esa vista puede ser fuente de un grave shar chi. Pon cortinas gruesas para taparla.

Por otra parte, debes estar atento siempre a las estructuras, elementos y objetos menos evidentes que pueden estar enviando flechas venenosas secretas. Por ejemplo, sin en las paredes hay cuadros que representan armas de fuego, éstas emiten energía negativa. Las pinturas, sobre todo las abstractas, que parecen hostiles o negativas, pueden ser desastrosas. Por

LOS EXÁMENES

El éxito en los exámenes depende sobre todo de una preparación a fondo y a conciencia. Pero al sentarnos mirando hacia una orientación propicia, protegidos de los efectos dañinos de cualquier flecha venenosa que pueda haber en la sala, nos aseguraremos de obtener los mejores resultados posibles.

Los árboles que están demasiado cerca de la ventana, cerrando el paso a la luz del sol, producen un exceso de energía yin que puede ser dañina. Es preciso cortarlos o al menos podarlos. No obstante, si los árboles no están demasiado cerca y tienen un aspecto sano, y la vista da al este, pueden ser una vista muy propicia. Asegúrate de que algunos árboles no lleguen a cerrar el paso del todo a la luz del sol. Si los árboles están en tu jardín, pódalos todos los años para mantener el buen equilibrio y la armonía.

ejemplo, el cuadro de Picasso *Mujer llorando* resultaría especialmente inadecuado para colgarlo cerca de donde hay niños. No hay que olvidar nunca el aspecto defensivo del feng shui. Aunque todo lo demás sea correcto, el aliento mortífero de las flechas envenenadas simbólicas es extremadamente dañino, y puede ser mortal en determinadas circunstancias.

Lleva a todas partes una brújula y, cuando asistas a clases, intenta sentarte mirando hacia tu orientación de estudio, es decir, hacia tu orientación Fu Wei. Si no es posible, asegúrate por lo menos de que no estás mirando hacia una de tus cuatro orientaciones desafortunadas, pues esto no servirá más que para agotarte de energía, afectando con ello a tu capacidad de concentración. Haz que las energías que te rodean actúen a tu favor, en vez de en contra tuya.

En los exámenes, ten mucho cuidado con la orientación con que te sientas. Comprueba la orientación de la habitación

Los cuadros que representan armas de fuego u otros objetos hostiles pueden tener un efecto muy negativo en un aula, en una sala de estudio o en una sala de exámenes.

y, si te es posible, haz girar tu silla para examinarte mirando, al menos, hacia una de tus cuatro orientaciones propicias. Con esto conseguirás que la orientación con que estás sentado esté en armonía con las energías que te rodean durante ese rato crucial del examen.

LOS PELIGROS, Y CÓMO DETECTARLOS

EL ENTORNO CAMBIANTE

Una buena parte de la práctica del feng shui consiste en acostumbrarse a detectar los elementos estructurales que existen dentro y fuera de la casa y que pueden dañar a los miembros de la familia. Suele ser fácil pasar por alto este aspecto defensivo. Los peligros del entorno externo más inmediato exigen que la puerta principal de la casa esté protegida. Dentro de la casa, los peligros son provocados por los pilares y las vigas de la estructura del edificio, por la distribución de las habitaciones y por la colocación de los muebles. Por lo tanto, es necesario que te familiarices al menos con algunos de los peligros más comunes que pueden amenazar, sin que te des cuenta, con destruir todo el buen feng shui que tú has reunido con tanta dedicación. De hecho, es recomendable que seas consciente de los cambios en el entorno para que el feng shui de la familia no corra nunca ningún riesgo grave.

El feng shui no es una actividad estática. Dado que las energías del entorno están cambiando constantemente, es importante vivir atentos. Por ejemplo, cuando los árboles son pequeños se combinan bien con el entorno, pero cuando van creciendo, las energías que emiten crecen, provocando por fin desequilibrios no solo del yin y el yang, sino también de la cosmología de los cinco elementos. Del mismo modo, las carreteras nuevas, los edificios nuevos y la construcción de infraestructuras tendrán siempre fuertes repercusiones sobre el feng shui.

La atención a los cambios de las fuerzas del entorno tiene dos aspectos. El primero consiste en ser consciente de los cambios físicos, y el segundo está más relacionado con las fuerzas intangibles, provocadas simplemente por el paso del tiempo. En este libro trataremos ambos aspectos.

Las carreteras nuevas pueden provocar flechas envenenadas dañinas. Es importante estar atento a los cambios de este tipo en nuestro entorno, pues pueden afectar a la casa y a la familia.

EL SALÓN BRILLANTE

El feng shui suele hablar de los beneficios que se desprenden de tener un espacio vacío delante de la casa. Un espacio vacío como este (un parque, un campo de fútbol o de juegos) permite que se acumule y se asiente el sheng chi benéfico y benigno antes de entrar en la casa, trayendo consigo la buena suerte. A este elemento se le llama «el salón brillante». Cuando tienes delante de tu casa un salón brillante, tu familia disfrutará de una buena suerte excelente, y todos los planes saldrán adelante sin tropiezos.

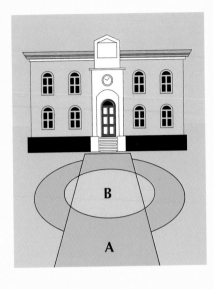

Las escuelas y las universidades que tienen ante su entrada principal un campo de juegos o un terreno despejado suelen producir grandes estudiantes. Esta buena fortuna es consecuencia del efecto del salón luminoso, que aporta al centro de estudios un feng shui excelente. No obstante, si hay una carretera recta que conduce directamente a la puerta principal A, el efecto es muy negativo. Es mucho mejor que haya un camino circular B, pues así se reduce la energía que va hacia el edificio. El buen chi siempre se mueve despacio. El mal chi siempre se mueve deprisa.

LOS CAMBIOS FÍSICOS EN EL PAISAJE

Un nuevo tramo elevado de autopista hará daño a tu familia, sin duda, si da la impresión de que es un borde afilado dirigido hacia tu casa. Las energías hostiles y dañinas serán demasiado fuertes para las habitaciones que den a un tramo elevado de este tipo y les provocarán muy mala suerte. La construcción de un edificio nuevo de muchos pisos afecta también al feng shui de la casa. Si el edificio nuevo bloquea la puerta principal, el efecto será negativo. Si se levanta detrás de tu casa, simbolizando así el apoyo sólido, entonces el efecto será un buen feng shui. En general, dado que la mayoría de los proyectos de infraestructura son muy amplios, provocan muy mala suerte cuando están situados delante de tu casa.

EL CONCEPTO CHINO DE LOS ESTUDIOS

L A historia china está llena de relatos que hablan de los eruditos. En la antigua China, las oposiciones imperiales eran el camino que conducía a los cargos importantes, que era seguramente el único camino por el que los jóvenes de origen humilde podían alcanzar puestos de poder. El hecho de alcanzar un gran nivel de erudición se comparaba metafóricamente con la humilde carpa que conseguía cruzar la Puerta del Dragón y se transformaba en un dragón deslumbrante.

La leyenda de la carpa dragón recoge con precisión la actitud de los chinos respecto de los estudios, que es una actitud de gran respeto. Incluso en nuestros días, lo más importante para las familias chinas de todo el mundo es que sus hijos destaquen en sus estudios. Como sus antepasados de la Antigüedad, consideran que el camino del saber es el más eficaz para mejorar su situación y su forma de vida. No tiene nada de raro que los chinos inmigrantes que viven en los Estados Unidos, en Gran Bretaña y en todo el Sudeste asiático consideren que la prioridad número uno en las vidas de sus hijos sea que estos alcancen los estudios universitarios. Siempre se ha considerado que una educación de alta calidad es la clave universal del éxito. Se considera que los hijos deben tener estudios universitarios como primer paso indispensable en su camino hacia la prosperidad. El éxito en los exámenes se concibe como algo más que un fin en sí mismo. Es el primer paso esencial para labrarse una vida y una carrera profesional destacadas.

EL PAPEL DEL FENG SHUI

N O es de extrañar, por tanto, que una de las dimensiones más importantes de la práctica del feng shui no solo se centre en los miembros de la próxima generación (los descendientes), sino más concretamente en el logro del conocimiento por parte de estos, que se manifiesta en el éxito destacado en los exámenes. En un entorno moderno esto se puede interpretar como el hecho de

tener buenas notas durante toda la enseñanza primaria y secundaria y en la universidad.

De hecho, existen recomendaciones concretas de feng shui que abordan directamente esta cuestión de cruzar la Puerta del Dragón. Tanto la escuela de las formas como la de la brújula del feng shui ofrecen métodos y directrices interesantes que se pueden implantar con facilidad, con el fin de mejorar el éxito de tus hijos en los estudios.

LA NATURALEZA DE LA SUERTE DE LOS ESTUDIOS

EL sistema educativo moderno es tan duro como el de los tiempos antiguos de la China Imperial, y dada la gran competencia que existe para obtener plaza en las universidades, han adquirido una importancia inmensa las calificaciones en los exámenes. Teniendo en cuenta cuántas cosas pueden salir mal, un poco de ayuda por parte del feng shui no puede menos de ser bienvenida. El hecho de activar la suerte de los estudios puede contribuir a eliminar algunos de los tropiezos con que se encuentran los estudiantes en los exámenes, pero no es magia. Recuerda que si bien el feng shui no convierte a tu hijo automáticamente en un estudiante de sobresalientes, un buen feng shui servirá para que su esfuerzo y su trabajo dé unos resultados verdaderos y tangibles. El feng shui es la suerte que sale de la tierra. Si tu hijo lo complementa con la suerte creada por su propio esfuerzo, avanzará sin duda alguna a grandes saltos.

La humilde carpa que consigue cruzar la Puerta del Dragón y se convierte en un dragón magnífico simboliza al humilde estudiante que aprueba las oposiciones imperiales y emprende así el camino del poder y de los altos cargos.

Los fundamentos del feng shui

Las relaciones

LOS SÍMBOLOS QUE ACTIVAN A LOS PROTECTORES PODEROSOS

LA ORIENTACIÓN NOROESTE

Según la Disposición del Cielo Posterior de los trigramas alrededor del Pa Kua, la orientación que alberga el trigrama Chien es la noroeste. Así pues, para activar la suerte que atrae a tu vida a los amigos influyentes, a los protectores y a los consejeros, debes cargar de energía el noroeste.

Lo primero que debes investigar es si tu casa tiene rincón noroeste.

Cuando las casas tienen forma de L o de U, les faltan algunos rincones. Si resulta que el rincón que falta es el sector noroeste de la casa, entonces el feng shui da a entender que falta la suerte Chien, que es tan importante.

Si quieres beneficiarte de la suerte Chien, sitúate en el centro de la casa y, desde allí, identifica el rincón noroeste. Guíate por el cuadrado Lo Shu. Divide la casa en nueve espacios iguales. No es preciso que sea cuadrada: aquí se ilustran dos ejemplos.

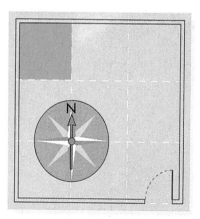

Delimita el rincón noroeste utilizando la brújula. Este será el rincón de la casa que debes activar. Colocar aquí la puerta principal no estaría nada mal, pero situar aquí un retrete sería desastroso.

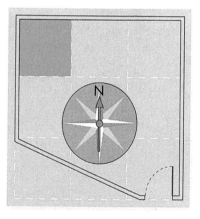

Esta es una casa de forma irregular. Falta la esquina sudoeste y parte del sur. La falta de la esquina noroeste significaría la falta de suerte de protectores para la familia. Está señalado el rincón que se debe activar, el noroeste.

CHIEN

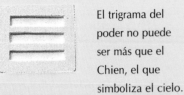

El trigrama del poder no puede ser más que el Chien, el que simboliza el cielo.

Representa la energía yang máxima y expresa la fuerza intrínseca y espiritual. Muestra al jefe, al rey, al general y al patriarca, al hombre de poder que gobierna por derecho divino. El Chien es un trigrama muy poderoso. Patentiza el espíritu de lo creativo y la energía del movimiento constante y de la actividad sin descanso. En el I *Ching* se dice que es la raíz de todos los demás trigramas, pues sus tres líneas son continuas, sólidas y yang. El Chien sugiere a una persona dotada de gran poder, que también es sabia y compasiva.

En el feng shui, activar este trigrama aporta muchos beneficios, entre los cuales destaca la suerte de disponer de una persona sabia que te aconseje y de una persona poderosa que te ayude. Durante tu periodo astrológico propicio, puede incluso introducir en tu vida a un protector influyente que te apoye y te impulse.

La ubicación del Chien en el Pa Kua (su situación y su orientación) indica cuáles son los elementos que es importante cargar de energía. Al hacerlo, conviene tener en cuenta que el Chien se vuelve más propicio todavía cuando se combina con el trigrama Kun, que es el trigrama yin máximo. La combinación del yang máximo con el yin máximo tiene una fuerza propicia irresistible. El elemento del Kun es la tierra grande, que produce el metal grande, el elemento del Chien.

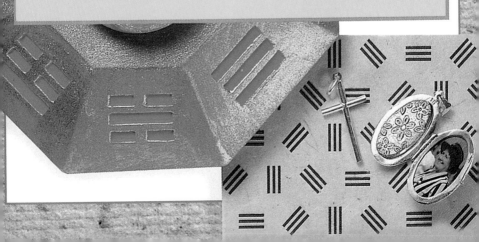

LOS CARILLONES EÓLICOS

Los carillones eólicos grandes, hechos de acero o de cobre, que producen tintineos agradables, son muy eficaces para activar el noroeste, pues la música que emiten genera sheng chi. Es importante que sus varillas sean huecas, pues esto permite que suba el chi y circule por el hogar, trayendo consigo la buena suerte.

Existen diferentes tipos de carillones eólicos. Los que se venden en las tiendas chinas suelen estar hechos de cobre o de bronce y tienen forma de pagoda o de carpas de la buena suerte. Los carillones eólicos de fabricación occidental suelen estar mejor elaborados y producen hermosos acordes y armonías que vibran por el hogar. Utiliza uno de cualquiera de los dos tipos para activar el noroeste. Suspéndelo cerca del techo para que reciba mejor el viento. Los carillones eólicos de cerámica también son eficaces, pero no utilices los de madera (porque el metal destruye la madera).

CÓMO ACTIVAR EL ELEMENTO METAL

El elemento del Chien y, por tanto, del noroeste, es el metal grande. Para activar este rincón se puede utilizar cualquier cosa que represente al metal.

Al mismo tiempo, y dado que la tierra produce el metal, resulta adecuada cualquier cosa que denote a la tierra, sobre todo a la tierra grande (el trigrama Kun). Recuerda que el fuego destruye el metal y que, por lo tanto, se interpreta como dañino para el Chien. Así pues, no se debe colocar en esta situación nada que represente al elemento fuego.

LOS VENTILADORES ELÉCTRICOS

Los ventiladores de techo hechos de metal son excelentes para cargar de energía el noroeste. Aparte de que están hechos de metal, el movimiento de las aspas genera viento y actividad, los cuales simbolizan también la energía vital yang. También son útiles los ventiladores de pie, y los abanicos antiguos son especialmente buenos.

Pon objetos de metal en la casa para activar el rincón noroeste.

OTROS OBJETOS DE METAL

PON los objetos de metal al noroeste, en el cuarto de estar o cuarto familiar. Los equipos eléctricos, tales como los televisores y los equipos de música, son valiosos para el feng shui cuando se colocan en este rincón. Las campanas decorativas y los imanes en forma de herradura también son otros objetos complementarios que se pueden exhibir para potenciar con éxito este rincón.

No pongas nunca en el rincón noroeste lámparas, velas, focos ni nada que sugiera el elemento fuego. Indicaría fuego en la puerta del cielo (ver págs. 38 - 39), y puede provocar graves problemas. Recuerda siempre que el fuego destruye el metal, y que cuanto más grande sea el objeto de fuego, más dañino es. No solo se destruye la suerte de los contactos, sino que así se provocarán graves desequilibrios dentro de la casa familiar. Las personas que se dedican a profesiones para las cuales es esencial recibir apoyo desde arriba deberán prestar un cuidado especial a esta restricción del feng shui.

Todo objeto que se exhiba para fines del feng shui deberá estar atado con hilo rojo. Así se asocia al objeto la energía yang, que le hace cobrar vida simbólicamente. Así es más efectivo y más significativo.

CÓMO REFORZAR EL ELEMENTO METAL CON LA TIERRA

DADO que la tierra produce el metal en el ciclo de las relaciones entre los elementos, la tierra simbólica reforzará el metal, produciendo el tipo exacto de energías propicias que se precisan. El elemento tierra, y sobre todo la tierra grande, denota también el trigrama Kun, que es el trigrama yin máximo. Cuando se combina el Kun con el Chien, la pareja representa la unidad del cielo y la tierra: una combinación muy propicia.

Un método excelente para simular el elemento tierra al noroeste es colocar cerámicas decorativas en dicha situación, pues estas están hechas de arena y de arcilla. El objeto puede ser una urna, una figurilla, o cualquiera de los símbolos de la buena suerte. La mayoría de los objetos de cerámica que proceden de la China o de Hong Kong están decorados con figuras llenas de colorido.

Su situación exacta debe ser el rincón noroeste de una habitación, o de la casa en su conjunto, o del jardín. Si se trata de una urna y la pones en tu jardín, mantenla vacía para que pueda acumularse y asentarse en ella el chi de la buena suerte. Los ejemplos que ilustramos son algunas sugerencias que pueden ser decorativas y que, al mismo tiempo, tienen un valor excelente para el feng shui.

EL PEZ DE CRISTAL

Existen grandes colecciones de peces de cristal natural o artificial de bellos colores. Dado que el pez es, de suyo, un símbolo excelente de la buena suerte, resulta muy oportuno colocar un ejemplar de tamaño mediano en una mesa al noroeste. Las pequeñas industrias familiares de Tailandia y Birmania elaboran grandes cantidades de carpas de metal (de bronce).

Es una gran idea decorativa, con excelentes posibilidades para el feng shui, colocar una pareja en casa o incorporarla a un elemento de agua, como una fuente o un estanque.

LA RANA DE LA SUERTE DE CERÁMICA

La rana de la suerte, que suele ser de cerámica, pintada de color dorado, se representa normalmente como la imagen de la rana legendaria de tres patas, sentada sobre un lecho de monedas de oro. Pon este símbolo al noroeste para atraerte una suerte excelente de la riqueza y de la carrera profesional, así como la suerte de los protectores. Las ranas representan, en general, la buena suerte.

LA CAMPANA DECORATIVA

Las campanas de cerámica o de metal, que suelen estar decoradas con motivos y tallas complicados, se utilizan con mucha eficacia para activar el noroeste de una habitación. Pon una campana sobre una mesa o en una vitrina. Las campanas representan el anuncio de buenas noticias y de la buena suerte.

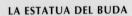

LA URNA DECORATIVA

Las urnas suelen estar hechas de colores brillantes lisos o están ilustradas con figuras de peonías, cigüeñas y personajes legendarios. Una urna resulta excelente si se sitúa al noroeste o cerca de la entrada de la casa para dar la bienvenida al sheng chi de la buena suerte. Puede ser tan grande como quieras, pero resulta conveniente tener presente el concepto de la proporción. No permitas nunca que los objetos decorativos empeque-ñezcan la casa.

LA ESTATUA DEL BUDA

Estas estatuas son muy populares entre los coleccionistas de antigüedades. Se puede colocar una de cerámica al noroeste para estimular la suerte que viene del cielo. Las estatuas de las deidades (de la religión o de la cultura que sean) se deben colocar siempre sobre una mesa o sobre una peana. No se deben poner directamente sobre el suelo, pues esto sería una grave falta de respeto. Son preferibles las estatuas de fabricación moderna a las antiguas, pues los budas antiguos, sobre todo las cabezas del Buda, pueden tener una historia espiritual cargada de energías negativas dañinas.

La tradición china de exponer retratos de los antepasados para atraer la suerte protectora puede ser imitada por las familias occidentales.

CÓMO CARGAR DE ENERGÍA CON OTROS SÍMBOLOS DE LOS PROTECTORES

UNA buena parte del feng shui está cargada de simbolismo. A esto se debe que los chinos tengan tantos símbolos y dioses que son personificaciones de las aspiraciones humanas. Hay dioses de la riqueza y de la longevidad, y símbolos de la fertilidad, de la pureza, del amor constante y del logro de la influencia y el poder. También hay símbolos de los más altos logros en los estudios.

Los practicantes del feng shui pueden optar por utilizar los símbolos chinos o pueden aplicar con el mismo éxito los símbolos que representan vivamente a los líderes poderosos y llenos de éxito de sus propias tradiciones culturales. Puede resultar muy efectivo colgar en la pared noroeste imágenes de los héroes tradicionales. En muchas casas chinas se exhiben también retratos de los antepasados, pintados por encargo. Suelen ponerse en lugar destacado en las habitaciones donde se recibe a las visitas, y tienen gran efecto para sintonizar con la suerte protectora.

OTRAS EQUIVALENCIAS CULTURALES

ELIGE entre tus propios antecedentes culturales e históricos. Todas las grandes tradiciones del mundo tienen a sus propios héroes y figuras legendarias. Así, las familias británicas pueden exhibir retratos o estatuas de los grandes héroes militares o de cualquiera de los reyes de su rica historia a los que admiren o que les inspiren. Los franceses pueden exhibir a Napoleón, los estadounidenses pueden elegir entre sus presidentes del pasado. Estas estatuas representan a personas cuyos logros o cuya posición puede significar el tipo de suerte que se desea. Pueden ser de metal o de cerámica, pero evita poner estatuas de madera en el rincón noroeste.

KUAN KUNG

A los chinos también les gusta exhibir estatuas de los héroes legendarios famosos de la época de los Tres Reinos, como por ejemplo Kuan Kung, que fue divinizado hace muchos años como Dios de la Riqueza y de la Protección. En muchas viviendas y oficinas chinas se levanta orgullosa la estatua de Kuang Kung, cuya figura se cree que aporta protección y apoyo por parte de los poderosos.

En las casas de familias religiosas se puede exhibir un retrato o escultura de su líder religioso o espiritual. Ponla al noroeste, pues esta imagen puede representar las bendiciones divinas que vienen del cielo. Recuerda que el feng shui no es una práctica espiritual. Lo mejor es entenderla como un antiguo arte que aspira a crear y a dominar las energías positivas y propicias dentro del espacio vital. Todo objeto o pintura que genere estas energías atraerá la buena suerte.

También se pueden exhibir con gran efecto las tres líneas continuas que representan el trigrama Chien en su rincón propio, el noroeste. Pueden estar bordadas o pintadas, o el trigrama se puede incorporar en el diseño del techo.

CÓMO ACTIVAR EL APOYO SIMBÓLICO

PARA distribuir el feng shui del hogar con el fin de atraernos amigos y protectores poderosos a nuestro círculo más próximo, debemos tener en cuenta siempre un aforismo sencillo pero profundo del feng shui: «Montaña detrás y agua delante».

La montaña detrás genera apoyo simbólico para la casa, garantizando desde el primer momento que las fuerzas naturales del entorno te protejan, en vez de enfrentarse contigo. Este es el dogma esencial del feng shui de la escuela de las formas, en el cual el apoyo por detrás recibe el nombre de «las colinas de la tortuga negra». Estas colinas (que están situadas al norte, preferiblemente), deben tener laderas suaves y formas redondeadas, para representar el caparazón de la tortuga de la longevidad. En las ciudades, un edificio alto situado detrás de tu casa puede simbolizar este apoyo importante de las montañas. Si el edificio está delante de tu casa (ante tu puerta principal), no solo quedará bloqueada tu suerte, sino que sufrirás una grave falta de apoyo. No podrás gozar de ninguna suerte de los contactos personales, por mucho que tomes otro tipo de precauciones.

LAS COLINAS DEL DRAGÓN VERDE DEL ESTE

LO ideal es que haya a tu izquierda una serie de colinas del dragón (preferiblemente, al este de tu casa). Estas colinas deberán formar una suave curva alrededor de tu casa, como si la envolvieran con un abrazo protector. Las colinas deben ser suavemente onduladas, algo más bajas que las colinas de la tortuga, pero más altas que las colinas del lado derecho.

LAS COLINAS DEL TIGRE BLANCO DEL OESTE

LAS colinas del oeste también deben tener pendiente suave y deben trazar una curva alrededor de la casa. Pero nunca deben ser más altas que las demás colinas que te rodean; de lo contrario, el espíritu del tigre se impone sobre los del dragón y la tortuga, volviéndose así sobre la propia casa y generando un feng shui malísimo.

Delante de la casa debe haber una vista de agua y una pequeña elevación de terreno que represente la presencia del ave fénix carmesí legendaria, la criatura celeste que siempre produce una buena suerte inmensa. Más allá del taburete del fénix debe haber una vista de agua que fluye suavemente: un arroyo, un río, un lago o un canal. Si el agua fluye de izquierda a derecha, se dice que el feng shui generado para el hogar será tan propicio que la buena suerte perdurará durante cinco generaciones por lo menos.

El feng shui de la escuela de las formas afirma que esta composición en forma de sillón o de herradura, compuesta por las tres filas de colinas, representa la formación clásica necesaria para gozar de un feng shui excelente. Los habitantes de la casa gozarán de salud, riqueza, categoría social, poder e influencia. La protección de los poderosos se consigue con poco esfuerzo y como fruto de aparentes coincidencias, produciendo oportunidades incontables para prosperar.

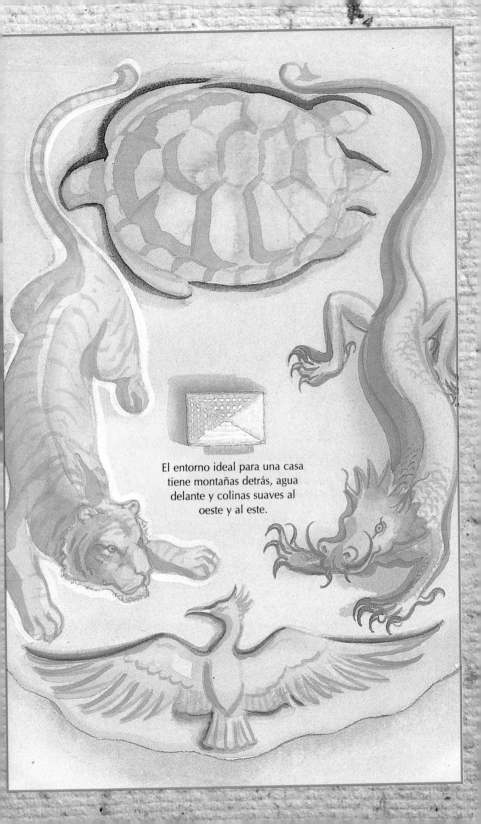

El entorno ideal para una casa
tiene montañas detrás, agua
delante y colinas suaves al
oeste y al este.

ORIENTACIONES INDIVIDUALES PARA EL ÉXITO

LA PROTECCIÓN

Los chinos valoran como un tesoro el hecho de gozar del favor de unos protectores poderosos. Una buena parte de las prácticas adivinatorias chinas se centran en determinar si en el destino del consultante aparece la suerte de esta clase.

Los chinos creen que la suerte de la protección o de los protectores viene del cielo. Lo demuestran con el ejemplo de los emperadores, sobre todo los de la China antigua, quienes se decía que reinaban como representantes del cielo. La ascensión y la caída de las dinastías imperiales reflejaban la entrega o la pérdida de esta protección divina. The focus of feng shui.

EL PUNTO DE VISTA DEL FENG SHUI

El feng shui reconoce la importancia de contar con el apoyo y con el ánimo de protectores y de personas que nos ayuden a alcanzar éxitos grandes y perdurables. En consecuencia, ofrece directrices concretas para cargar de energía nuestro espacio vital con el fin de producir esta suerte muy especial.

Los métodos se dirigen a producir la presencia de protectores poderosos cuya ayuda hace subir a la familia hasta niveles elevados de riqueza y de influencia. La suerte de la protección de la antigua China

Si tu número Kua es el:

1 grupo del este

2 grupo del oeste

3 grupo del este

4 grupo del este

5 grupo del oeste

6 grupo del oeste

7 grupo del oeste

8 grupo del oeste

9 grupo del este

se puede comparar con la suerte de los contactos útiles en el mundo comercial de hoy. En nuestros tiempos, el éxito sigue dependiendo en gran medida del apoyo que nos ganamos por parte de los jefes, de los directivos y de cualquier persona que ejerza cargos de autoridad.

La suerte siempre es un factor intangible, y la suerte de los contactos útiles resulta especialmente valiosa. ¡El buen feng shui te aportará una ventaja significativa respecto de todas las demás personas!

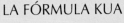

LA FÓRMULA KUA

Calcula tu número Kua de la manera siguiente. Suma las dos últimas cifras de tu año de nacimiento chino; por ejemplo, **1978, 7 + 8 = 15.**

Si la suma es mayor que diez, redúcela a una sola cifra. Así pues, **1 + 5 = 6.**

Hombres	Mujeres
Restar la cifra obtenida del	Sumar a la cifra obtenida del
10	**5**
Así pues,	Así pues,
1 – 6	**5 + 6**
= 4	**= 11**
Por lo tanto, para los hombres nacidos en	y
	1 + 1
1978	Por lo tanto, para las mujeres nacidas en
el número Kua es	**1978**
4	el número Kua es
	2

Tu orientación del éxito es:

SUDESTE para hombres y mujeres

NORDESTE para hombres y mujeres

SUR para hombres y mujeres

NORTE para hombres y mujeres

NORDESTE para hombres, y
SUDOESTE para mujeres

OESTE para hombres y mujeres

NOROESTE para hombres y mujeres

SUDOESTE para hombres y mujeres

ESTE para hombres y mujeres

A continuación, comprueba en la tabla adjunta tu orientación del éxito

No es buena idea tener cerca estanterías de libros descubiertos. Representan cuchillos que te cortan. Son más mortales todavía si están a tu espalda. Pon puertas en tus estanterías o dispón los libros de tal modo que se fusionen con los estantes.

Tener la puerta a tu espalda aporta un feng shui malísimo. Significa que hasta la gente en la que confías te traicionará. Es muy dañino para la suerte de la carrera profesional.

Ten cuidado con lo que pones sobre tu mesa de trabajo. Evita los artículos puntiagudos y que te apuntan a ti. Las flores son excelentes, y también lo son los cristales de roca y otros símbolos de la buena suerte. Dispónlos dividiendo la mesa por sectores según las orientaciones de la brújula. Así pues, por ejemplo, pon la lámpara de mesa en la parte sur de la mesa, y si tienes flores ponlas en el lado este.

Lleva ropa cuyos colores te den fuerza y energía. Entérate de cuál es el elemento dominante de tu año de nacimiento chino, a partir del calendario de las páginas 30-31, y organiza tu ropa para que tenga colores que te vengan bien. El rojo es bueno para los que necesitan fuego, como les sucede a las personas que han nacido un año de madera en pleno invierno. La madera de invierno necesita del calor del fuego. Lleva ropa negra y azul para el elemento agua, verde para la madera, amarilla y beige para la tierra y blanca para el metal.

LAS DIMENSIONES DE LA MESA DE TRABAJO

En el feng shui existen dimensiones propicias y no propicias. Si tu mesa de trabajo tiene unas dimensiones afortunadas, puede llegar a ayudarte a ascender. Estas dimensiones se basan en la regla de feng shui. La experiencia ha mostrado que la mesa de trabajo que genera más suerte para la carrera profesional es la que mide 33 x 60 x 33 pulgadas (84 x 152 x 84 cm). Las dimensiones indicadas son excelentes para trabajar, pero es posible introducir variaciones hasta cierto punto.

La longitud de la mesa de trabajo puede variar en función de tu trabajo. Hemos seleccionado varias posibilidades para asegurarnos de que no cometas ningún error. La longitud de la mesa puede oscilar entre 57 y 61 pulgadas (145 y 155 cm), entre 41 y 44 pulgadas (104 y 112 cm) y entre 49 y 52 pulgadas (124 y 132 cm).

Aquellas personas a quienes resulte incómoda la altura recomendada pueden poner una plataforma bajo la silla o bajo la mesa misma. Las dimensiones feng shui también se pueden aplicar a los archivadores, a los armarios, a las puertas y a las ventanas. Todos los carpinteros de Hong Kong, de Singapur y de Malasia utilizan la regla feng shui, que hasta ahora solo se ha fabricado con rótulos en chino, para asegurarse de que los muebles que construyen se ajustan a las especificaciones correctas de feng shui.

También existen dimensiones no propicias que producen problemas relacionados con el estrés, las enfermedades y las tensiones. Algunas de estas dimensiones pueden producir también pérdidas y traiciones. Vale la pena ajustar los muebles de tu oficina para evitar estos problemas.

Tu suerte de la carrera profesional mejorará si las dimensiones de tu mesa de trabajo se ajustan a las especificaciones del feng shui.

COMPROBAR LA COMPATIBILIDAD

LAS PERSONAS DEL GRUPO DEL ESTE Y DEL OESTE

La fórmula Kua que se utiliza en el feng shui de la brújula ofrece también uno de los modos más precisos de investigar el grado de compatibilidad entre las personas. Resulta especialmente útil para investigar las relaciones de pareja, pero también puedes utilizarla para comprobar tu grado de compatibilidad con tus colegas, con tus amigos y con tus jefes.

La regla más sencilla es que las personas del mismo grupo, del este o del oeste, tienden a colaborar bien entre sí. Si tu protector pertenece al mismo grupo que tú, vuestras relaciones requerirán menos esfuerzo por tu parte, dado que las energías naturales son compatibles. Cuando una persona del grupo del este tiene un protector del grupo del oeste, o viceversa, la persona deberá esforzarse más por mantener las buenas relaciones.

NÚMEROS KUA COMPATIBLES

Tu número Kua	Sheng Chi Kua	Tien Yi Kua	Nien Yen Kua	Fu Wei Kua
1	3	4	1	9
2	7	8 (h) 8 y 5 (m)	2 y 5 (h) 2 (m)	6
3	1	9	3	4
4	9	1	4	3
5	7 (h) 6 (m)	8 (h) 2 (m)	5	6 (h) 7 (m)
6	8 (k) 8 y 5 (m)	7	6	2 y 5 (h) 2 (m)
7	2 y 5 (h) 2 (m)	6	7	8 (h) 8 y 5 (m)
8	6	2 y 5 (h) 2 (m)	8 (h) 8 y 5 (m)	7
9	4	3	9	1

El éxito en las relaciones de trabajo estará garantizado si se tiene en cuenta la compatibilidad de los grupos de personas.

No obstante, y en función de los números Kua de los dos, la incompatibilidad puede ser a veces tan grave que no se pueda llegar a ninguna parte con las relaciones mutuas. Las tablas de las páginas 220 y 222 exponen los grados de compatibilidad y de incompatibilidad entre las personas con números Kua diferentes. Utilízalas para comprobar tu compatibilidad con las personas que son importantes para ti. Recuerda que el sexo de la persona que estás investigando tiene importancia para la fórmula.

Los varones con número Kua cinco deben fijarse en los números seguidos de (h), y las mujeres que tienen el número Kua cinco deben fijarse en los números seguidos de (m). Esta tabla indica los números Kua que son compatibles con tu número Kua. Observarás que las personas del grupo del este se llevan bien con las demás personas del grupo del este, y que

las personas del grupo del oeste se llevan bien con las del grupo del oeste. Los grados de compatibilidad son los siguientes:

- **Sheng Chi Kua**: extremadamente compatible. Esta persona te aporta una suerte excelente. Es un amigo, un jefe o un protector poderoso y de confianza.
- **Tien Yi Kua**: esta persona te cuida bien y las relaciones mutuas no son tensas. Puedes fiarte de él o de ella y siempre habrá confianza entre los dos.
- **Nien Yen Kua**: una relación armoniosa. Puedes confiar en que esta persona vele por tus intereses.
- **Fu Wei Kua**: Esta persona es buena para ti. Te apoyará, te animará, y hará desarrollar tu talento hasta sus máximas posibilidades.

LAS INCOMPATIBILIDADES PELIGROSAS

Nota: Los hombres cuyo número Kua es el cinco deben fijarse en los números seguidos de (h), y las mujeres deben fijarse en los números seguidos de (m). La tabla contiene los números Kua que son incompatibles con tu número Kua. Observa que las personas del grupo del este son incompatibles con las personas del grupo del oeste, y viceversa. Estos números se refieren únicamente a los números Kua, y no a ninguna otra cosa.

Los grados de compatibilidad son los siguientes:

▓ **Ho Hai Kua**: esta persona no es muy buena para ti. Te puede provocar accidentes y tropiezos. Las relaciones entre los dos no son tranquilas y hay malos entendidos constantes, pero los problemas no son insuperables. Si tu protector pertenece a este Kua en relación con el tuyo, pasa por alto los problemas pequeños que provocan fricciones e intenta esforzarte por mejorar las relaciones entre los dos.

▓ **Wu Kwei Kua**: muy incompatibles. Tendréis muchas desavenencias. En las relaciones personales entre los dos habrá ira y resentimientos ocultos. Ésta es la relación «de los cinco fantasmas», que da a entender que gente de fuera conseguirá causar problemas entre los dos. Ten cuidado.

▓ **Lui Sha Kua**: extremadamente incompatible. Esta persona te hará mucho daño y te acarreará enormes problemas. Es la descripción «de las seis muertes», y puede ser peligrosa. Ten mucho cuidado.

NÚMEROS KUA INCOMPATIBLES

Tu número Kua	Ho Hai Kua	Wu Kwei Kua	Lui Sha Kua	Chueh Ming Kua
1	6	2 y 5 (h)	7	8 y 5 (m)
2	9	1	3	4
3	8 y 5 (h)	7	2 y 5 (h)	6
4	7	8 y 5 (m)	6	2 y 5 (h)
5	9 (h) 3 (m)	1 (h) 4 (m)	3 (h) 9 (m)	4 (h) 1 (m)
6	1	9	4	3
7	4	3	1	9
8	3	4	9	1
9	2 y 5 (h)	6	8 y 5 (m)	7

Los números Kua incompatibles pueden provocar tensiones y conflictos entre compañeros de trabajo.

Chueh Ming Kua: Esta persona puede causar tu muerte, de manera figurada y literal. Puede arruinar tu reputación y hacerte perder ingresos y posición. No te acerques a esta persona, por muy prometedora que parezca su amistad o la relación con ella. A la larga, esta persona no dudará en traicionarte por completo. Recuerda que esto no quiere decir que sea mala persona de suyo; lo único que sucede es que los dos números Kua, el tuyo y el suyo, son total e irremediablemente incompatibles.

La fórmula de los grupos del este y del oeste para determinar las compatibilidades entre las personas sirve de complemento al método astrológico, que aplica el sistema ghanzhi chino de los tallos celestiales y las ramas terrenales (ver páginas 224-25). Este sistema es más conocido popularmente por los signos de animales del zodiaco chino. En raras ocasiones, aunque la fórmula Kua y el sistema ghanzhi indiquen compatibilidad, sucede que los elementos (la madera, el fuego, el agua, el metal y la tierra) de las cartas astrales pueden anular por completo a las interpretaciones, provocando problemas entre personas que son aparentemente compatibles. De manera semejante, los elementos de las cartas astrales pueden anular las incompatibilidades aparentes, pero esto también es raro.

LA COMPATIBILIDAD SEGÚN LA ASTROLOGÍA CHINA

En la astrología china, se dice que cada persona pertenece a uno de los doce animales del zodiaco, que representan cada uno a un año dentro de un ciclo de doce años. El animal a cuyo signo perteneces depende de tu año de nacimiento. Estos signos se llaman las ramas terrenales. Los ciclos de doce años se repiten cinco veces como representación de los cinco elementos, el fuego, la madera, el agua, la tierra y el metal. Estos elementos se llaman los tallos celestiales. Así se establece un ciclo conjunto de 12 x 5 = 60 años. Éste es el sistema ghanzhi.

Así pues, cada año lunar se describe en términos de ramas y tallos, de animales y elementos. El año 1997, por ejemplo, es el año del buey, y su elemento es la tierra. Por lo tanto, se dice que las personas nacidas en el año 1997 son bueyes de tierra.

COMPROBACIÓN DE LOS TALLOS CELESTIALES

El ciclo productivo de los cinco elementos (página 25) indica compatibilidad. El ciclo destructivo de los cinco elementos (página 25) indica incompatibilidad.

COMPROBACIÓN DE LAS RAMAS TERRENALES

Los animales que pertenecen a cada uno de los cuatro triángulos de afinidad son compatibles entre sí.

▨ Los competidores del horóscopo son la rata, el mono y el dragón. Sus ambiciones son completamente compatibles entre sí.

▨ Los espíritus independientes son el caballo, el perro y el tigre. Se entienden perfectamente entre sí.

▨ Los intelectuales son la serpiente, el gallo y el buey. Siempre tienen tiempo los unos para los otros.

▨ Los diplomáticos son el conejo, la oveja y el cerdo. Son almas gemelas.

Se dice que todos los animales que están en oposición directa son incompatibles. Esto significa que una diferencia de edades de doce años produce incompatibilidad:

▨ La rata con el caballo
▨ El buey con la oveja
▨ El tigre con el mono
▨ El conejo con el gallo
▨ El dragón con el perro
▨ La serpiente con el cerdo

A estos signos siempre les resultará difícil trabajar juntos en armonía. Existen resentimientos ocultos.

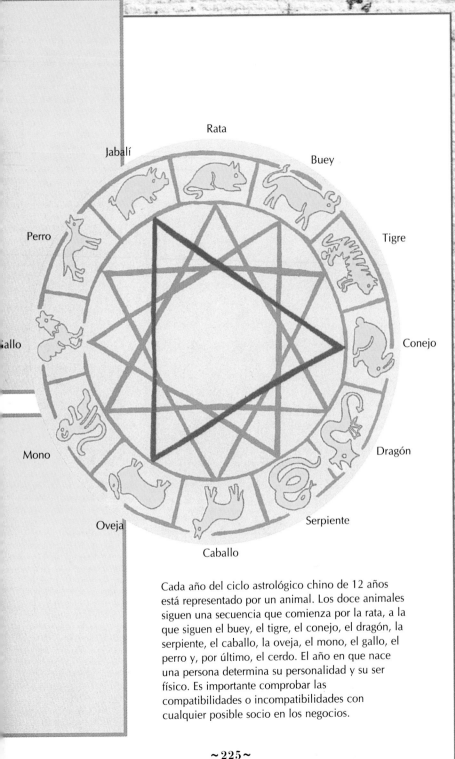

Rata

Jabalí

Buey

Perro

Tigre

Gallo

Conejo

Mono

Dragón

Oveja

Serpiente

Caballo

Cada año del ciclo astrológico chino de 12 años está representado por un animal. Los doce animales siguen una secuencia que comienza por la rata, a la que siguen el buey, el tigre, el conejo, el dragón, la serpiente, el caballo, la oveja, el mono, el gallo, el perro y, por último, el cerdo. El año en que nace una persona determina su personalidad y su ser físico. Es importante comprobar las compatibilidades o incompatibilidades con cualquier posible socio en los negocios.

Los fundamentos
feng shui

El trabajo

EL FENG SHUI PARA LAS CARRERAS PROFESIONALES

LA ORIENTACIÓN NORTE

EL trigrama que representa las carreras profesionales es el Kan, el cual, según la Disposición del Cielo Posterior de los trigramas, está situado al norte. Este es, por lo tanto, el rincón de cualquier casa que representa las perspectivas profesionales y la suerte en la carrera profesional. Si este rincón tiene buen feng shui, los habitantes de la casa tendrán la buena fortuna de alcanzar grandes cotas en sus carreras profesionales.

Para comprender la naturaleza de la suerte de la carrera profesional es preciso examinar el sector norte de la habitación o de la casa y, en particular, el significado del trigrama Kan.

EL ELEMENTO AGUA

EL elemento que gobierna el norte es el agua, simbolizada por cualquier cosa líquida y por los objetos e instalaciones con agua, tales como los acuarios, las piscinas, los lagos y las fuentes.

- El agua es producida por el metal; por ello, se dice que el metal es bueno para el agua.
- El agua produce a su vez la madera; por ello, se dice que la madera agota el agua.
- La tierra destruye el agua; por ello, se dice que la tierra es dañina para el agua.
- El agua destruye el fuego; por ello, se dice que el agua domina el fuego.

A partir de estos atributos, sabemos que para reforzar los elementos del norte podemos utilizar todos los objetos que simbolizan tanto el agua como el metal. Además, debemos evitar a toda costa cualquier cosa que pertenezca al elemento tierra. Esto significa que el norte puede ser activado por cualquier objeto, color o pintura que recuerde el agua o el metal.

KAN

Este es, probablemente, el más peligroso de los ocho trigramas. Está compuesto de una línea yang continua rodeada de dos líneas yin truncadas. Es un trigrama que parece débil y flexible por fuera pero que en realidad puede ser muy fuerte por dentro.

El Kan simboliza el frío del invierno, el peligro o la oportunidad del agua y la astucia del hijo mediano. Puede representar las ilusiones (como el reflejo de la luna sobre el agua) o los grandes éxitos debidos a la capacidad de una persona para disimular su fuerza y parecer débil: la esencia de la astucia, que es la sustancia y el compendio de este trigrama.

Este trigrama representa las situaciones de embrollo y una situación constante de peligro. El Kan recoge a la perfección las situaciones de la antigua China, en que las intrigas cortesanas solían acarrear graves peligros a los mandarines que aspiraban a ser ascendidos. Un paso en falso, y el resultado era la muerte: a eso

se debe que este trigrama represente la suerte de la carrera profesional.

Para poder subir con tranquilidad y con éxito por la escala profesional es fundamental activar este rincón en tu hogar y en tu cuarto, así como en tu oficina. Al proteger el feng shui de tu rincón norte, te estarás protegiendo a ti mismo de sufrir daños por las intrigas, los engaños y las astucias. El buen feng shui te asegurará que la sinceridad de intenciones recibe su recompensa, de tal modo que la línea yang envuelta por las líneas yin se mantendrá fuerte y no será superada.

LOS SÍMBOLOS PRINCIPALES DEL ÉXITO PROFESIONAL

CÓMO CARGAR DE ENERGÍA EL ELEMENTO AGUA AL NORTE

En el feng shui, se activa cada uno de los cinco elementos cuando están presentes los objetos que pertenecen al grupo del elemento. Para cargar de energía el elemento agua del rincón norte, el de la carrera profesional, uno de los métodos mejores y más sencillos es utilizar pequeños dispositivos artificiales con agua.

Puedes incluir el agua en una habitación de muchas maneras diferentes. Si la habitación es muy pequeña, un acuario o una fuente puede producir desequilibrios. En tal caso, lo único que necesitas es un jarrón lleno de agua y flores sobre un cuenco de agua. Se puede utilizar cualquier elemento decorativo que tenga agua de colores o en movimiento para estimular el elemento agua. Lo que es importante tener en cuenta es que nunca hay que exagerar ni que llevar las cosas demasiado lejos. Por ejemplo, si instalas en tu cuarto de estar un gran lago artificial, puede que parezca muy espectacular, pero dominará a todas las demás energías. En vez de activar el elemento agua, el agua te ahogará a ti, haciéndote sufrir todas las consecuencias negativas del mal feng shui.

No obstante, debes observar que si bien es posible activar de manera eficaz el rincón del agua para mejorar las carreras profesionales, esto deberá limitarse a tu cuarto de estar o a tu oficina. No debes poner nunca fuentes ni acuarios en el dormitorio. El feng shui afirma tradicionalmente que si detrás de tu cama hay un acuario, la consecuencia puede ser que te roben o que te engañen.

Si te lo puedes permitir, pon una fuente pequeña de agua junto al lado norte de la pared de tu cuarto de estar. Existen muchos diseños diferentes, y lo único que hace falta es una bomba pequeña para crear un flujo continuo de agua.

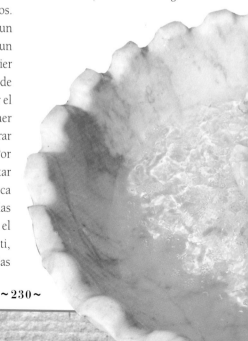

Un acuario es un elemento excelente para cargar de energía el agua. Los peces que nadan y el aparato oxigenador que emite burbujas hacen que el agua se mantenga en movimiento. El agua estancada produce chi estancado, y esto es peor que no tener nada de agua. Pon sobre el acuario una luz, que producirá un movimiento de sombras en el techo.

MOTIVOS Y COLORES ACUÁTICOS

Puedes incorporarlos en el diseño general de la decoración interior de tu cuarto de estar. Procura que sean estéticamente agradables. Los colores del sector norte son el negro o cualquier tono del azul, que indican el elemento agua. Incorpora este plan de colores en el papel pintado, en las cortinas y en las alfombras. La propia pared norte se puede pintar de cualquier tono de azul. La iluminación de este rincón debe ser suave.

Como regla general, los maestros del feng shui suelen recomendar que no se tenga piscina en la casa. No es porque sea poco propicio de suyo, sino porque si la colocas en un sector inadecuado de la parcela, o si la forma de la piscina es inconveniente, o si su tamaño produce un desequilibrio enorme, es muy probable que haga mucho daño a los habitantes de la casa. Es muy fácil equivocarse con las piscinas.

No obstante, una piscina en la parcela de una casa grande puede atraer unas energías enormemente beneficiosas si todo se hace bien. Debe estar situada correctamente, debe tener una forma propicia y su tamaño debe estar equilibrado con la vivienda o edificio y con su terreno.

Sitúa la piscina en la parte norte, este o sudeste de tu terreno. Si está situada al sur puede resultar enormemente dañina y

Si esta piscina está en la esquina norte de tu terreno, su situación es aceptable y puede ser propicia. No obstante, si está a la derecha de la puerta principal, mirando desde dentro de la casa, puede provocar conflictos en las relaciones de pareja de los habitantes. Por otra parte, la piscina es demasiado grande para la casa y está demasiado cerca de ella. Es preciso planificar con mucho cuidado las piscinas.

Las piscinas de forma arriñonada o circular son propicias. Lo mejor es hacer que la piscina abrace la casa.

provocar problemas. También es más propicia cuando está situada en una posición tal que se puede ver la piscina desde la puerta principal. Para las mujeres, se recomienda que la piscina no debe estar nunca a la derecha de la puerta principal (mirando desde dentro de la casa). Si está a la derecha, el marido empezará a fijarse en otras mujeres y será infiel.

Se consideran superiores las formas redondas y circulares a las piscinas rectangulares con esquinas puntiagudas. La mejor forma es la arriñonada o la semejante a un ocho doble; una forma que da la impresión de que la piscina está abrazando la casa. Cuando una casa está abrazada por el agua, sobre todo por agua que parece venir del norte, es un elemento excelente de feng shui.

Si tienes una piscina en tu terreno, procura que sea visible al menos desde una de las puertas de la casa. También es fundamental que el agua se mantenga limpia. No hay nada más dañino para el feng shui de una casa que una masa de agua sucia y contaminada. Ésta permite que el valioso chi se vuelva rancio y dañino, haciendo que los habitantes de la casa sufran mala salud y pérdidas. Cuando esto sucede, no puede haber suerte en la carrera profesional.

CÓMO CARGAR DE ENERGÍA LA TORTUGA

Es mejor un estanque pequeño con una tortuga viva o con un galápago que una piscina. De hecho, si quieres asegurarte de que nunca te falte apoyo en tu trabajo, evita simbólicamente a la tortuga celeste a que entre en tu hogar. Si no te resulta practicable poner un estanque con galápagos en el lado norte de tu jardín, o si vives en un piso, cómprate una tortuga de cerámica y ponla en un cuenco de agua en el rincón norte de tu casa o de tu cuarto de estar. Este es uno de los métodos más sencillos y más eficaces para cargar de energía un feng shui excelente para la carrera profesional. Nunca te faltará apoyo, y generarás una gran cantidad de buena voluntad y de respeto hacia ti en tu trabajo. La tortuga es un símbolo de longevidad, y tenerla en casa carga igualmente de energía la salud. Ten solo una tortuga o un galápago, pues el número afortunado del norte es el uno.

La tortuga es símbolo del apoyo en la carrera profesional, así como de la longevidad.

LOS SÍMBOLOS DEL ELEMENTO METAL

L A palabra china que significa «metal» significa también «oro». En el feng shui, el oro no solo representa el dinero. También es símbolo de la importancia social y de la opulencia. Se cree que los símbolos que estimulan este elemento, colocados en el rincón de la carrera profesional, aportan grandes éxitos a las personas que se dedican a la vida pública.

LAS INSIGNIAS DEL RANGO

En los tiempos antiguos de la China imperial, los mandarines de la corte llevaban vestiduras con insignias bordadas que denotaban su rango. Actualmente, los chinos ricos coleccionan las vestiduras antiguas bien conservadas que mantienen intactas sus insignias, para exhibirlas en sus casas. Se cree que estas vestiduras producen un aura propicia en la cual las corrientes cósmicas pueden generar una buena suerte favorable que conduce al ascenso en la categoría. Se pueden utilizar para el mismo fin otras condecoraciones y símbolos del éxito.

LAS MONEDA

Las monedas pueden ser verdaderamente eficaces para activar el rincón norte. Lo ideal para este fin sería utilizar monedas chinas antiguas de las que tienen un agujero cuadrado en el centro, pero te resultará más fácil utilizar las monedas corrientes que llevas en tu monedero. Destina a ello una caja pequeña y decorativa, preferiblemente hecha de metal (de bronce, peltre o plata), y guarda en ella toda la calderilla que te sobra. Pon esta caja en cualquier parte del rincón norte. Una variante de esta idea es utilizar un cuenco antiguo de metal que contenga monedas sobrantes.

Las monedas estimulan el elemento metal y fomentan la suerte de la carrera profesional si se ponen en el rincón norte.

EL IMÁN

Los imanes con forma de herradura son unos símbolos universales de la buena suerte. Pon uno en el suelo, debajo de un armario o dentro de él. Simboliza oro oculto, y da buena suerte.

LA CAMPANA

Las campanas son buenos símbolos de los altos cargos. Si aspiras a conseguir un ascenso, hazte con una pequeña, de color de plata o de oro, y ponla ante una pared del sur; o bien, puedes poner al sur del comedor una campanilla de las que sirven para llamar a la familia a comer, que activará la buena suerte de ese rincón cada vez que os sentéis a la mesa.

LOS CARILLONES EÓLICOS

Estos tienen varias aplicaciones en el feng shui, pues se cree que son remedios eficaces para disolver la influencia negativa de las vigas y de los bordes agudos. Si caen al norte, también son excelentes para atraer el chi propicio que genera buena suerte para quien quiere avanzar en sus carreras profesionales.

Los carillones eólicos puestos al norte deben estar hechos de metal, y sus varillas deben ser huecas. Esto permite que el chi se canalice hacia el rincón. Los carillones con varillas macizas no tienen ningún significado para el feng shui. El número de varillas del carillón eólico debe ser, idealmente, uno de los números afortunados: una, seis, siete u ocho. No es recomendable colgar carillones eólicos de cinco varillas.

ORIENTACIONES PERSONALES PARA LA CARRERA PROFESIONAL

TU ORIENTACIÓN PARA TU DESARROLLO PROFESIONAL

La orientación propicia para la carrera profesional de cada persona se llama orientación Fu Wei. Cuando conoces tu orientación personal Fu Wei, puedes aprovechar esa información de muchas maneras diferentes con el fin de mejorar tu feng shui personal. Puedes aplicarla con igual éxito en tu casa y en tu oficina. En esencia, esto significa dormir y sentarte orientado de una manera tal que te permite captar tu Fu Wei. Captar la suerte de tu orientación supone emprender un camino profesional que te conduce a un éxito extraordinario dentro de tu profesión elegida. Te sentirás capacitado y cargado de energía en el trabajo y empezarás a disfrutar de verdad del mismo. Tu jefe se fijará en ti, y el ascenso parecerá una consecuencia lógica.

Esta fórmula es muy adecuada para las personas interesadas en llevar adelante una carrera profesional y que tienen ambiciones de llegar a lo más alto. No está dirigida tanto a aumentar los ingresos como al crecimiento y al desarrollo personal, pero la buena suerte de la carrera profesional trae aparejada una mejora significativa de tu nivel de vida.

EL ÉXITO PROFESIONAL: EL PUNTO DE VISTA CHINO

UNA leyenda china cuenta que algunas humilde carpas subían remontando la corriente del río Amarillo hasta que llegaban a la Puerta del Dragón, o Lung Men, y que allí daban un gran salto

Si tu número Kua es el:

1 grupo del este

2 grupo del oeste

3 grupo del este

4 grupo del este

5 grupo del oeste

6 grupo del oeste

7 grupo del oeste

8 grupo del oeste

9 grupo del este

intentando llegar al otro lado y cruzar la Puerta del Dragón. Las que lo conseguían se transformaban en dragones, mientras que las que fracasaban llevaban para siempre la señal del fracaso, que es un gran punto rojo en la frente.

A partir de esta leyenda surgió la creencia de que debía construirse una puerta del dragón como símbolo del éxito profesional. Estas puertas solían estar adornadas con figuras de carpas que tenían cabeza de dragón y cuerpo de pez como símbolo de su transformación a una categoría más elevada. Todavía se pueden encontrar en las mansiones que pertenecían a los mandarines más destacados de la antigua China.

Tu orientación de la carrera profesional es:

NORTE para hombres y mujeres

SUDOESTE para hombres y mujeres

ESTE para hombres y mujeres

SUDESTE para hombres y mujeres

SUDOESTE para hombres, y **NORDESTE** para mujeres

NOROESTE para hombres y mujeres

OESTE para hombres y mujeres

NORDESTE para hombres y mujeres

SUR para hombres y mujeres

LA FÓRMULA KUA

Calcula tu número Kua de la manera siguiente. Suma las dos últimas cifras de tu año de nacimiento chino; por ejemplo, **1948, 4 + 8 = 12**
Si la suma es mayor que diez, redúcela a una sola cifra. Así pues, **1 + 2 = 3**

Hombres	**Mujeres**
Restar la cifra obtenida del	Sumar a la cifra obtenida del
10	**5**
Así pues,	Así pues,
10 − 3	**5 + 3**
= 7	**= 8**
Por lo tanto, para los hombres nacidos en	Por lo tanto, para las mujeres nacidas en
1948	**1948**
el número Kua es:	el número Kua es:
7	**8**

A continuación, comprueba en la tabla adjunta tu orientación y situación personal de la carrera profesional.

En el feng shui, la suerte de la carrera profesional se debe considerar desde un punto de vista que no la relaciona con la salud, aunque el éxito profesional traiga aparejado un nivel de vida más elevado. La suerte de la carrera profesional significa alcanzar mayor categoría, poder, autoridad e influencia.

EL FENG SHUI
DE LA EMPRESA

LA OFICINA PRINCIPAL DE LA EMPRESA

El feng shui de la empresa comienza siempre con medidas protectoras para desviar o disolver los efectos de cualquier chi mortífero provocado por las estructuras puntiagudas u hostiles que apuntan a la entrada de la oficina principal. Protege las puertas de entrada, bloquea esas flechas envenenadas y, cuando sea necesario, devuelve el golpe con un espejo Pa Kua colocado estratégicamente, o incluso con un cañón.

El cañón es una herramienta defensiva muy poderosa en el feng shui, y no se debe utilizar a la ligera, pues provoca un feng shui malísimo en cualquier vivienda u oficina que recibe su efecto. No obstante, cuando la estructura ofensiva es el borde de un edificio inmenso u otra estructura aguda con forma de flecha, es posible que no te quede más opción que utilizar un cañón. Si lo haces así, procura que sólo apunte directamente a la estructura agresiva. Ponlo fuera de tu edificio, como objeto decorativo. Utiliza un cañón antiguo, pero si no puedes conseguirte uno de verdad, un modelo también servirá.

Utiliza un cañón de verdad o un modelo para desviar los efectos del chi mortífero.

CONSEJOS PARA EL ÉXITO ECONÓMICO

A Intenta que delante del edificio haya un pequeño espacio de terreno vacío, como puede ser un terreno de juegos o un parque. Este espacio vacío se llama «el salón brillante propicio», donde puede asentarse y acumularse el chi de la buena suerte antes de entrar en el edificio. Si esto no es posible, procura por lo menos que la entrada no parezca apretada ni dominada por los edificios que la rodean.

B Procura evitar estar encajonado entre dos edificios más altos. Si lo estás, pon una luz muy brillante en el tejado de tu edificio y enciéndela todas las noches.

C Si hay una carretera recta que viene directamente hacia tu edificio, cambia de orientación la puerta para que las energías rectas y perniciosas de la carretera (como tigres por la noche) no puedan entrar en tu edificio. Si te es posible, pon entre la carretera y la entrada de tu edificio una pared de agua que corra hacia el interior, hacia el edificio.

D Si construyen un edificio nuevo delante del tuyo, haciendo que se hunda la suerte de tu compañía, toma medidas protectoras inmediatamente. Reorienta completamente tu edificio cambiando la orientación de la puerta principal, o utiliza el cañón. Alternativamente, puedes instalar muchas luces y fuentes grandes para atraer el chi hacia tu edificio, a pesar de los bloqueos que pueda sufrir.

E Si corre un río por cerca de tu edificio, intenta orientar tu puerta principal hacia el río, y haz que la orientación concuerde con el flujo del agua. Si el río corre por delante de la puerta trasera, en vez de la delantera, te perderás todas las oportunidades de crecer, de desarrollarte y de florecer.

F Si hay unas escaleras mecánicas que miran directamente a la entrada de tu edificio, asegúrate de que funcionan en una zona de entrada bien iluminada y bien decorada. Las escaleras mecánicas que conducen a un espacio abierto obligan a la energía que se mueve rápidamente, poco propicia, a convertirse en suave y propicia. De otro modo, pueden provocar problemas a la empresa.

EL FENG SHUI EN LA OFICINA

Aunque tus oficinas estén abarrotadas, te llegará el éxito siguiendo algunas reglas básicas y sencillas del feng shui.

▨ Las zonas de recepción estarán bien iluminadas. La recepcionista deberá sentarse dando la espalda a una pared que oculte a la vista el resto de la oficina.

▨ No dispongas las mesas de trabajo de una manera enfrentada, una frente a otra. Es mejor que los compañeros se sienten lado a lado.

▨ Dispón las mesas de trabajo de tal manera que el tráfico siga un recorrido sinuoso.

▨ Evita que existan demasiadas particiones que den como resultado una distribución con largos pasillos. Esto genera discusiones, maledicencias y falta de armonía en la oficina.

▨ No pongas a personas clave en despachos al final de un pasillo largo. Si está allí el director financiero, las finanzas de tu empresa se resentirán. Si está allí el director de marketing, las ventas sufrirán consecuencias adversas.

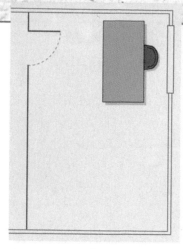

MALA SITUACIÓN DE LA MESA DE TRABAJO:

▨ La mesa de trabajo está demasiado cerca de la puerta.

▨ El trabajador da la espalda a la puerta.

▨ El trabajador da la espalda a una ventana.

BUENA SITUACIÓN DE LA MESA DE TRABAJO:

▨ La mesa de trabajo está en diagonal respecto de la puerta.

▨ El trabajador está mirando a la puerta.

▨ El trabajador da la espalda a una pared sin huecos.

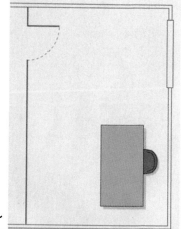

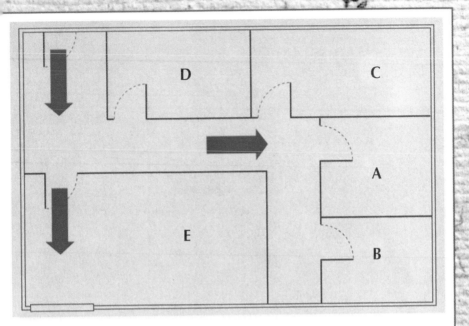

Sigue las reglas del feng shui para mejorar el ambiente de la oficina.

DISPOSICIÓN DE LOS DESPACHOS

A Es una situación poco propicia para un despacho.

B Es la mejor, pues está en diagonal respecto de la entrada.

C Es una buena situación para la sala de juntas.

D Está demasiado cerca de la puerta.

E Tiene dos puertas en fila con una ventana en la distribución general de la oficina. No podría ser peor.

BUENA ZONA DE RECEPCIÓN

Se obliga al chi a seguir un recorrido sinuoso al entrar en la oficina. La recepcionista está sentada con el apoyo sólido que le brinda la pared.

La recepcionista debe sentarse dando la espalda a la pared.

EL DESPACHO DEL DIRECTOR

▧ Destruye todas las posibles flechas envenenadas eliminando las esquinas que asoman, los pilares aislados, las estanterías abiertas y las vigas del techo.

▧ Activa el rincón de la riqueza de la oficina poniendo una planta sana y vibrante al sudeste.

▧ Distribuye el despacho de tal modo que el director pueda sentarse mirando hacia su orientación de la riqueza (comprueba el número Kua). Lo que es bueno para el director es bueno para la empresa.

▧ Ten bien iluminado el despacho. Pon una luz en el rincón sur para garantizar el éxito en todas las decisiones del director.

▧ Pon detrás del director un cuadro que represente una montaña, para garantizar que tenga apoyo en todo momento.

LA SALA DE JUNTAS

Ｅｌ feng shui de la sala de juntas es importante para la suerte de la empresa, por la sencilla razón de que allí se toman decisiones importantes. El éxito de la empresa puede sufrir consecuencias adversas si en esta sala hay aliento mortífero, provocado por esquinas que asoman o porque las ventanas dan a estructuras agresivas que permiten la entrada del shar chi.

Comprueba la situación del asiento del presidente. Preferiblemente, deberá estar lejos de la entrada, con la espalda bien apoyada por una pared sin huecos.

Procura que la sala de juntas no tenga demasiadas puertas, pues esto provoca disputas y malos entendidos y no conduce a la generación de riqueza.

Haz que cada miembro del consejo de administración se siente mirando hacia su orientación de la riqueza. Esto mejora el feng shui de la empresa.

EL FENG SHUI PARA LOS DIRECTIVOS

LAS ORIENTACIONES PARA LA NEGOCIACIÓN

Utiliza las orientaciones de la fórmula Kua para inclinar la balanza a tu favor en tu trabajo. Lleva siempre encima una brújula pequeña e intenta sentarte mirando a tu orientación óptima para tu carrera profesional cuando estés negociando un contrato importante. Es posible que con eso no consigas todo lo que quieres, pero mejorarás notablemente tus posibilidades de cerrar un buen trato. También puedes aplicar el mismo método cuando des un discurso, cuando negocies tu gratificación de fin de año o, simplemente, cuando tengas una entrevista para un posible trabajo.

Negociaciones
por teléfono

ORIENTACIONES PROPICIAS PARA LOS VIAJES

Cuando prepares tus viajes de negocios, o en general siempre que viajes en relación con tu trabajo, procura preparar tu ruta y tus etapas de tal modo que llegues desde tu orientación propicia. Esto se puede aplicar a los viajes por el mundo en avión o a los viajes locales en coche. ¡El hecho de venir desde tu orientación buena significa que traes contigo la suerte!

En viajes internacionales, la dirección de la que llegas depende por entero de la ruta que sigues. Así, si viajas de los Estados Unidos a Asia, puedes ir hacia el este o hacia el oeste. Observa bien la orientación de tu viaje si este es importante. Deberás utilizar este método sin dudarlo si vas a viajar a otro país para quedarte a trabajar allí varios años.

Reuniones de ventas   Reuniones de dirección   Sesiones de formación

Siempre que te encuentres subido a un estrado, dirigiéndote a un público (en una reunión de vendedores, en una reunión para estudiar el presupuesto, en una sesión de formación), intenta orientar tu cuerpo de tal modo que mires hacia tu mejor orientación para la carrera profesional. Esto te permite recibir las energías propicias que están en la sala. Tu público será muy receptivo y muy positivo. La sesión será un éxito.

En las entrevistas para un puesto de trabajo y en las reuniones de la oficina, acostúmbrate a mirar hacia tu orientación favorable para tu carrera profesional cuando hables. Si no te es posible, mira por lo menos hacia una de tus cuatro orientaciones buenas.

Entrevistas

Reuniones de departamentos

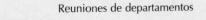

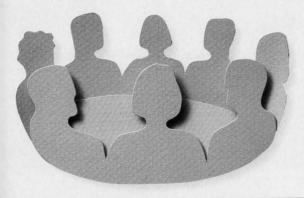

Cuando realices negociaciones, siéntate siempre mirando hacia tu orientación mejor. Acostúmbrate hasta hacerlo de manera instintiva. Procura especialmente no mirar hacia ninguna de tus orientaciones no propicias.

CÓMO MEJORAR LA CUENTA DE BENEFICIOS

L AS personas que tienen trabajos de ventas o de marketing, o que tienen responsabilidades relacionadas con los beneficios (los vendedores, los directores de sucursal o los agentes de seguros) pueden aplicar el feng shui para mejorar las ventas y los beneficios. Pueden hacerlo por medio de métodos de feng shui que afectan a la suerte de la prosperidad.

CARGAR DE ENERGÍA EL SECTOR UNIVERSAL DE LA RIQUEZA

E L rincón universal de la riqueza es el rincón sudeste de cualquier habitación, oficina o tienda, y cargar de energía este sector de la habitación atrae el chi de la buena suerte a la empresa o a la compañía. Pon una planta en el rincón sudeste de tu oficina o de tu tienda. Procura que sea una planta sana y hermosa, que no parezca medio muerta, y procura que se conserve sana. Si empieza a enfermar, quítale las hojas amarillentas o muertas y, si es necesario, sustitúyela por completo. Las plantas artificiales hechas de seda también serán eficaces, pero no permitas bajo ningún concepto que haya plantas o flores secas en el sudeste.

Las plantas y los elementos de agua fomentan la buena suerte de la carrera profesional cuando se colocan en el rincón de la prosperidad de la empresa o del negocio.

Pon una planta sana en el rincón sudeste de la oficina o de la tienda para cargar de energía la prosperidad.

CÓMO ACTIVAR EL LIBRO DE VENTAS

Un consejo de feng shui extremadamente útil que pueden utilizar los directores de los centros de venta al por menor es el de activar el libro de pedidos o de ventas. Para ello se utilizan tres monedas chinas antiguas. Estas monedas tienen un agujero cuadrado pequeño en el centro. La combinación de las formas redonda y cuadrada representa la unidad armoniosa del cielo y la tierra. Pon las tres monedas con la cara yang hacia arriba (la cara que tiene cuatro ideogramas es la yang, y la que tiene dos es la yin), y ata las tres monedas entre sí como quieras con hilo rojo grueso. El hilo rojo es importante, pues carga de energía el flujo del chi. Pega las monedas sobre tu libro de ventas. Este método aumenta las ventas y es un consejo especialmente útil para los vendedores.

El método de las tres monedas con el hilo rojo se puede utilizar con la misma eficacia con los ficheros importantes. Los ficheros de clientes, por ejemplo, se pueden activar de esta manera. Estas monedas también se pueden colgar sobre la puerta principal, por la parte interior. Compra estas monedas en tu supermercado chino local: son muy baratas.

Un elemento de agua pequeño, como por ejemplo una fuente, activará también la suerte de la carrera profesional.

GLOSARIO

A

Aliento cósmico del dragón, *ver* **Sheng Chi.**

Aliento mortífero, *ver* **Shar Chi.**

C

Chen El trigrama del despertar, cuya orientación es el este y cuyo número es el 3.

Chen Lung Pak Fu Formación del dragón verde y el tigre blanco.

Chi La fuerza vital o energía vital del universo. El chi puede ser propicio o no propicio.

Chien El trigrama creativo, cuya orientación es el noroeste y cuyo número es el 6.

Chueh Ming Literalmente, «pérdida total de los descendientes», la situación que representa el peor desastre o la peor suerte posible que puede correr una familia.

Confucio El célebre filósofo y gran maestro de ética chino (551-479 a. de C.), que dedicó toda su vida al estudio del *I Ching*.

D

Disposición del Cielo Anterior Una de las dos disposiciones del Pa Kua, que se utiliza al estudiar el feng shui de las residencias yi, que son las moradas de los muertos.

Disposición del Cielo Posterior Una de las dos disposiciones del Pa Kua, que se utiliza al estudiar el feng shui de las residencias yang, que son las moradas de los vivos.

E

Elementos Los cinco elementos, según las creencias chinas, son la tierra, la madera, el fuego, el metal y el agua. Aportan unas claves vitales para la práctica del Feng Shui.

Escuela de la brújula La escuela de Feng Shui que utiliza fórmulas basadas en la brújula para diagnosticar el carácter de las orientaciones y de las situaciones del feng shui.

Escuela de las formas La escuela del Feng Shui que se centra principalmente en los contornos de los paisajes físicos: sus formas, tamaños y cursos.

F

Feng Shui Literalmente, «viento agua». Es el sistema chino de equilibrar las pautas de energía del entorno físico.

Feng Shui de las estrellas voladoras. La forma que determina la buena o mala dimensión temporal del feng shui para las casas y los edificios, basada en el cuadrado Lo Shu.

Flecha envenenada Cualquier estructura recta o afilada de la que sale energía mala o Shar Chi, que lleva consigo la mala suerte y otros efectos nocivos.

Fu Wei Literalmente, «armonía general»; es la situación para conseguir la paz.

Fuk El dios chino de la riqueza y de la felicidad.

H

Hexagrama Una figura de seis líneas, de las cuales hay 64 en el *I Ching* que simbolizan los arquetipos universales de la conciencia humana.

Ho Hai Literalmente, «accidentes y tropiezos», la situación que conduce a las pérdidas económica y a las dificultades intermitentes.

I

I Ching Un libro clásico chino, conocido en Occidente con el nombre de *El libro de los cambios*.

K

Kan El trigrama del abismo, cuya orientación es el norte y cuyo número es el uno.

Ken El trigrama de la montaña, cuya orientación es el nordeste y cuyo número es el ocho.

Kua Uno de los ocho lados del Pa Kua. El número Kua de cada individuo identifica las orientaciones propicias y no propicias.

Kun El trigrama receptivo, cuya orientación es el sudeste y cuyo número es el 2.

L

Li El trigrama de la adhesión, cuya orientación es el sur y cuyo número es el nueve.

Lo Shu Es el cuadrado mágico, que consta de una disposición de nueve números en una cuadrícula de tres por tres y que apareció por primera vez hace unos 4.000 años en el caparazón de una tortuga. Este cuadrado ejerció una influencia poderosa y mítica sobre el simbolismo cultural chino.

Lui Sha Literalmente, «seis muertes», que es la orientación que representa los graves daños físicos para ti y para tu familia.

Luk El dios chino de la categoría social y de la opulencia.

Luo Pan La brújula china de feng shui, que contiene todas las señales y todos los símbolos que indican el feng shui bueno o malo.

M

Método de las ocho aspiraciones vitales Un método de asignar esquinas de una habitación que identifican diversas aspiraciones de la vida

N

Nien Yen Literalmente, «longevidad con descendientes ricos»; es la mejor orientación para mejorar la calidad de la vida doméstica y de las relaciones familiares.

P

Pa Kua El símbolo de ocho lados que contribuye a interpretar el feng shui bueno o malo. Se corresponde con los cuatro puntos cardinales de la brújula y con los cuatro puntos intermedios entre estos, y su significado se desprende de los ocho trigramas del *I Ching*.

S

Sau El dios chino de la salud y de la longevidad.

Shar Chi Literalmente, «Chi negativo del oeste», o líneas de energías poco propicias provocadas por la presencia de objetos o estructuras puntiagudos o afilados que canalizan el mal feng shui; también llamado «aliento mortífero».

Sheng Chi Referido a una situación, literalmente «aliento generador», la mejor situación para atraer la prosperidad.

Sheng Chi Literalmente, «Chi creciente del este», o líneas de energía propicias, que viajan siguiendo un camino sinuoso. También llamado «aliento cósmico del dragón» o aliento benigno.

Sun El trigrama suave, cuya orientación es el sudeste y cuyo número es el 4.

T

Tao «El Camino», una filosofía y un modo de vida: el principio eterno del cielo y la tierra en armonía.

Tao Te King Un texto filosófico chino importante, que se atribuye tradicionalmente a Lao Tse, y que es una de las claves del taoísmo filosófico.

Taoísmo El sistema filosófico que se expone en el *Tao Te King*.

Teoría del Pa Kua y el Lo Shu La teoría, basada en el Pa Kua y en el Lo Shu, de que toda morada se puede dividir en ocho sectores, cada uno de los cuales representa una situación propicia o no propicia.

Tian ling di li ren he La frase de seis ideogramas, que significa «Influencia propicia del cielo, topografía beneficiosa, actos humanos armoniosos», que se suele utilizar para describir el feng shui en los textos clásicos.

Tien Ti Ren Fortuna del cielo, fortuna de la tierra y fortuna del hombre.

Tien Yi Literalmente, «el médico del cielo»: es la mejor situación para los miembros de la familia que están enfermos.

Tratado Clásico de las Moradas Yang Uno de los manuscritos clásicos del feng shui, que contiene indicaciones sobre la situación de la casa y de las habitaciones.

Tratado Clásico del Dragón de Agua Una fórmula que ofrece doce direcciones de la entrada y salida del flujo de agua en un terreno; también es el título de uno de los textos en los que se basa la práctica del Feng Shui; en concreto, trata de los méritos relativos de las vías de agua.

Trigrama Una figura compuesta de tres líneas, truncadas o enteras, que simboliza la trinidad del cielo, la tierra y el hombre.

Tui El trigrama gozoso, cuya orientación es el oeste y cuyo número es el 7.

W

Wu Kwei Literalmente, «cinco fantasmas»; es la orientación que genera la mala suerte cuya consecuencia son los incendios, los robos y la pérdida de ingresos o de trabajo.

Y

Yang Energía creativa, uno de los dos aspectos de los opuestos complementarios de la filosofía china. Refleja el movimiento más activo, los aspectos más cálidos, *ver* también **Yin.**

Yang Yun-Sang, Maestro Asesor principal de la corte del emperador Hi Tsang (año 888 d. de C.), de la dinastía Tang, y reconocido generalmente como fundador del feng shui.

Yin Energía receptiva, uno de los dos aspectos de los opuestos complementarios de la filosofía china. Refleja los aspectos más pasivos, quietos, reflexivos, *ver* también **Yang.**

DIRECCIONES ÚTILES

Feng Shui Design Studio
PO Box 705, Glebe, Sidney, NSW 2037,
Australia
Tel.: 61 2 315 8258

Feng Shui Society of Australia
PO Box 1565, Rozelle, Sidney,
NSW 2039, Australia

The Geomancer
The Feng Shui Store
PO Box 250, Woking, Surrey GU21 1YJ
Inglaterra
Tel.: 44 1483 839898
Fax: 44 1483 488998

Feng Shui Association
31 Woburn Place, Brighton BN1 9GA,
Inglaterra
Tel/Fax: 44 1273 693844

Feng Shui Network International
PO Box 2133, Londres W1A 1RL, Inglaterra
Tel.: 44 171 935 8935
Fax: 44 171 935 9295

The School of Feng Shui
34 Banbury Road, Ettington,
Stratford-upon-Avon, Warwickshire CV37 7SU
Inglaterra
Tel/Fax: 44 1789 740116

The Feng Shui Institute of America
PO Box 488, Wabasso, FL 32970
Estados Unidos de América
Tel.: 1 407 589 9900
Fax: 1 407 589 1611

Feng Shui Warehouse
PO Box 3005, San Diego, CA 92163,
Tel.: 1 800 399 1599
Fax: 1 800 997 9831

ÍNDICE DE MATERIAS